DESPUÉS DE
AFTERWARDS

Editorial Gustavo Gili, SA
08029 Barcelona. Rosselló, 87-89
Tel. 93 322 81 61 - Fax 93 322 92 05
e-mail: info@ggili.com
http: //www.ggili.com

QUIM ROSELL

DESPUÉS DE
AFTERWARDS

Agradecimientos

Aun consciente de las limitaciones de las palabras y, disculpándome de antemano por no poder mencionar a todas aquellas personas que han hecho posible el libro que tienes en tus manos, quiero expresar mi sentido agradecimiento a Mariona Benedito, con quien compartí casi todos los momentos del proceso y con cuya inteligente y tenaz colaboración se pudo definir un antes y un después. No olvidaré tampoco la creatividad y lucidez de Itziar González ni la vívida imaginación de Alejandro Bahamón, en todas sus aportaciones desinteresadas. A todos ellos, porque se perpetuó un dulce momento.

Acknowledgments

Although I'm aware of the limitations of words, and apologizing in advance for not being able to mention all the people who've made the book you have in your hands possible, I want to express my heartfelt thanks to Mariona Benedito, whom I've shared almost every moment of the editing process with, and whose intelligent and tenacious collaboration enables me to speak of a "before" and an "after". Neither will I forget the creativity and lucidity of Itziar González or the vivid imagination of Alejandro Bahamón, and their many generous suggestions. To all of them, because a wonderful moment was able to linger on.

Asesor editorial: **Gustau Gili Galfetti**
Editora: **Mariona Benito Ribelles**
Traducción al Castellano: **Emilia Pérez Mata**
Diseño Gráfico: **Estudi Coma**

Editorial consultant: **Gustau Gili Galfetti**
Editor: **Mariona Benito Ribelles**
English translation: **Paul Hammond**
Graphic Design: **Estudi Coma**

© Quim Rosell, 2001
© de los textos correspondientes/*for the texts*: Alejandro Bahamón, Itziar González, Pilar Marcos, Maurici Pla
© Editorial Gustavo Gili, SA, Barcelona, 2001

Printed in Spain
ISBN: 84-252-1813-6
Depósito legal: B. 48.428-2001
Fotomecánica: Scan Gou
Impresión: Apipe, sl (Sabadell)

Los proyectos reunidos en esta publicación tratan de nuevas arquitecturas aplicadas sobre lugares que han experimentado episodios bélicos en un determinado momento; otros que han sido objeto de explotaciones geológicas intensivas y, en último lugar, constituyen territorios o entornos urbanos marginales producto de desarrollos industriales. Esta estructura de base propone, pues, tres marcos de referencia, a modo de contenedores, que permitan vincular los contenidos con una flexibilidad suficiente para que el argumento final pueda entenderse también desde otras lecturas cruzadas, trazando asociaciones de un contenedor a otro. Así, al margen de la intensidad de la propuesta de cada intervención, y lejos de que permanezca anclada en uno u otro grupo, nos interesa mostrar una diversidad de proyectos tratados desde sus singularidades específicas, resaltando sus capacidades y su potencial para acoger nuevos usos. Reforzando este argumento, también se aportan otros documentos, ajenos a estricto oficio arquitectónico, porque aportan acercamientos equiparables al tema: desde el registro periodístico hasta la contribución netamente artística, pasando por el informe científico. Estos documentos hablarán (también desde su peculiar singularidad) de la abstracción y la universalización del territorio degradado, independientemente del momento, su índole y sus causas.

Finalmente, las propuestas presentadas imparten, como rasgos comunes, un tiempo generalmente dilatado en su ejecución; la participación de instituciones y administraciones como importantes promotores; y, a modo de incidencia en el paisaje contemporáneo, un conjunto de estrategias y mecanismos de intervención diferenciados.

Construcción del paisaje contemporáneo

Como lugar de encuentro de los procesos, a menudo devastadores, de la industria o debido a importantes cambios de orden programático, el paisaje contemporáneo aparece a menudo drásticamente descarnado e impactante. Vertederos (fruto de nítidas y despiadadas acciones de amontonamiento de desecho), canteras (resultado de las formas en negativo de la tierra como producto de la extracción de su material), astilleros abandonados, antiguas bases militares y, en general, terrenos a los que no se les asigna otra cualidad específica que la indeterminación:

Mina a cielo abierto. Witznitz, sur de Leipzig, Sajonia (Alemania). Josef Koudelka.

Open-cast mine. Witznitz, south of Leipzig, Saxony, Germany. Josef Koudelka.

The projects brought together in this book refer to new architectures applied on locations that have experienced, firstly, sporadic warfare; secondly, areas where the earth has functioned as a source of geological workings; and thirdly, marginal territories and urban environments that have undergone industrial development. This initial structure proposes, then, three categories as points of reference for linking the contents, with sufficient flexibility for the final argument to be seen via other intersecting readings, tracing associations from one category to another. Thus, apart from the deliberate intensity of each intervention, and far from anchoring this in one or another group according to its nature, we present a wide range of projects handled in terms of their specific singularities, while emphasizing their abilities and their potential to embrace new uses. Other documents are also presented to strengthen this argument, documents that provide alternatives to the architectural discipline and serve as possible comparable approaches: from the journalistic record to the clearly artistic contribution, taking in the scientific report. These documents will speak (also in terms of their particular uniqueness) of the abstraction and universalization of the degraded territory independently of the moment, its nature and causes.

What, finally, the schemes presented share is that in terms of their execution they span a generally extended period of time; on top of that, the participation of institutions and administrative bodies as major sponsors; and, along with an impact on the contemporary landscape, a set of differentiated strategies and mechanisms of intervention.

***The Construction
of the Contemporary Landscape***

As a place of encounter of the frequently devastating processes of industry, or due to important changes of a programmatic kind, the contemporary landscape often appears drastically abraded and impressive. Rubbish tips (a consequence of the focused, relentless piling up of waste), quarries (a result of negative ground shapes, due to the extracting of material), abandoned dockyards, former military bases and, in general, stretches of land which are assigned no particular quality other than that of indeterminacy, are the domains in which the current framework of intervention are confined. [1]

However, in the 1960s —and even in the 1930s, given a particular antecedent[2]— a preoccupation with land-reclamation took shape thanks to the intervention of different artists who encountered in the natural environment a set of traces that, as a material pertaining

estos son dominios donde se encierra el actual marco de intervención.[1]

Sin embargo, ya en los años sesenta, e incluso en los treinta, podemos encontrar algún antecedente puntual.[2] La preocupación por la recuperación del paisaje (land-reclamation) tomó cuerpo gracias a la intervención de varios artistas que encontraron en el medio natural una conjunción de trazas que retomaron como base de su trabajo (earthworks), un material perteneciente a la memoria colectiva del lugar. Su valoración no pasó por desvelar, desde la nostalgia, cada uno de los momentos que configuraron el pasado o la historia del mismo, sino más bien por urdir una confianza hacia la estética del arte como vehículo de recuperación. Pero cuando se trata de intervenciones al aire libre y a gran escala que han formateado el paisaje de modo tan incisivo y determinante, y se han encargado a la par de condicionar el colectivo humano asociado a su productividad, han conllevado siempre una idea de abandono y trastorno de difícil rehabilitación:

restaurar este vacío, más allá de las preocupaciones de orden ecológico implícitas en la erosión de todo territorio, es todavía un reto pendiente.

En el movimiento moderno, el paisaje funcionaba como entidad geográfica que contrastaba frente a la arquitectura, entendida ésta como base productora de objetos protagonistas, dispuestos dentro de un escenario que les ubica y les envuelve. El sistema se matiza ordenando los vínculos (tanto físicos como mentales) entre figura y fondo, eso es, entre arquitectura y paisaje; estableciendo interacciones entre ambos mediante un posicionamiento asimétrico del uno respecto del otro, o sea, arquitectura "forzando" paisaje. Se perpetúa una sólida relación desde la que acabarán derivando hacia ritmos distintos de evolución: el paisaje relegado a "simple naturaleza", a un escenario natural y pasivo, y la arquitectura como disciplina que muestra su distanciamiento respecto a las condiciones particulares del emplazamiento. Así, la trans-

to the collective memory of the location, they took as a basis of their work (earthworks). Their valorization did not rely on revealing, out of a sense of nostalgia, each of the moments that the past or the history of the location configured, but rather on contriving a reliance on the aesthetics of art as a vehicle of recuperation. Yet those open-air, large-scale interventions that have formatted the landscape in such an incisive and determinant way, and have simultaneously been responsible for conditioning the human group linked to its productivity, have always implied an idea of dereliction and disorder which is difficult to rehabilitate: to restore this empty space, over and above preoccupations of an ecological kind implicit in the erosion of any territory, is an unresolved challenge.

In the Modern Movement the landscape functioned as a geographical entity contrasting with the architecture, the latter understood as a productive base of influential objects disposed within a setting that accommodates and enfolds them. A system is construed that organizes links (both physical and mental) between figure and ground, or rather between architecture and landscape, both of these interacting through an asymmetrical positioning of the one in relation to the other, architecture "forcing" landscape. A solid relationship is perpetuated out of the one which different rhythms of evolution will end up deriving towards: the landscape relegated to "simple nature", to a passive natural stage set, and the architecture as a discipline that displays its distance vis-à-vis the particular conditions of the site. The transcription of this phenomenon, then, will be codified by means of the citing of the landscape as a supposedly bucolic setting, a backdrop that barely displays any relevant trace or expressive data and which, finally, imposes an effect of remoteness or disinterest on the spectator. On the other hand, the markedly horizontal dimension of this distant landscape further reinforces and encourages the clear identification of both entities. The presence

Robert Rauschenberg y Robert Smithson "plantando" Second Upside Down Tree en Captiva Island, Florida, EEUU, 1969.
2G Revista Internacional de Arquitectura, 3 (Landscape Architecture: estrategias para la construcción del paisaje), Barcelona, 1997, pág. 13.

Robert Rauschenberg and Robert Smithson "planting" Second Upside-Down Tree on Captiva Island, Florida, USA, 1969.
2G International Architecture Review, 3 (Landscape Architecture: Strategies for the Construction of Landscape), Barcelona, 1997, p. 13.

Robert Morris (n. 1931), Sin título, 1979. Proyecto de recuperación de 3,7 acres. King County, Washington. Imagen tomada poco después de su construcción.
John Beardsley, Earthworks and Beyond, Abbeville Press Publishers, Nueva York, 1984, pág. 91.
Esta obra forma parte de un proyecto global titulado Earthworks: Land Reclamation as Sculpture organizado por la King County Arts Commission. Un total de siete artistas fueron invitados para proponer sus respectivas intervenciones en distintos lugares en desuso o terrenos "agotados", en el área de Seattle-King County. En esta cantera, Robert Morris planteó la creación de seis terrazas verdes que sugerían a la vez jardines orientales, el sistema agrícola chino y las estructuras laterales de las autopistas. Con esta obra, Morris demostró su eficaz viabilidad económica: los costes fueron inferiores a los de una hipotética rehabilitación.

Robert Morris (b. 1931), Untitled, 1979. Rehabilitation project covering 3.7 acres, King County, Washington, USA. Picture taken shortly after construction.
John Beardsley, Earthworks and Beyond, Abbeville Press, New York, 1984, p. 91.
This work forms part of a general project called Earthworks: Land Reclamation as Sculpture, organized by the King County Arts Commission. A total of seven artists were invited to propose their respective interventions in various disused locations or depleted bits of lands in the Seattle/King County area. In this quarry Robert Morris proposed creating six green terraces that at once suggested oriental gardens, Chinese farming methods and lateral freeway structures. Morris demonstrated the economic viability of this kind of intervention, the costs being inferior to those of a hypothetical rehabilitation in conventional terms.

Solario de la casa Beistegui, París,
1930-1931. Le Corbusier.
El paisaje de fondo convertido en
lejano objeto de contemplación.
El Arco de Triunfo aparece como
elemento aislado que sobresale
del paisaje continuo.
*Le Corbusier. Oeuvres complètes.
Volume 2, 1929-1934*, Les Éditions
d'Architecture/ Artemis, Zúrich,
1964, pág. 54.

*Le Corbusier. solarium in the
Beistegui House, Paris, 1930-1931.
The background landscape converted into a distant object of contem-
plation. The Arc de Triomphe appears as an isolated feature protruding
from the continuous landscape.
Le Corbusier. Oeuvres complètes.
Volume 2, 1929-1934, Les Éditions
d´Architecture/ Artemis, Zurich,
1964, p. 54.*

cripción de este fenómeno se codificará
mediante la cita del paisaje como escenario
supuestamente bucólico, un telón de fondo
que apenas muestra traza alguna o dato
expresivo relevante y que, en definitiva, trans-
mite al espectador un efecto de ajeno o de
desentendimiento. Por otro lado, la dimensión
marcadamente horizontal de este paisaje lejano refuerza y propulsa todavía más la clara
identificación de ambas entidades. La presencia del paisaje, que casi se desdibuja por su
extensión ilimitada, contrasta con la nueva
arquitectura, emergente, vertical, casi heroica.
En la realidad presente, la acción de construir
se produce fuera de este orden tan claramente establecido. En su lugar, se ha dado

*of the landscape, which becomes blurred
over almost all its unlimited expanse, con-
trasts with that vertical, almost heroic, emer-
gent new architecture.
At the present time, the act of building is produced outside this by now clearly established
idea of order. In its place, a code of more diffuse relationships emerges: the main arrangement, which situates each part in relation
to a whole (in accordance with a "Euclidean"
system of reference), fissures in favor of a
fragmentary vision of reality in which movement, the ephemeral, etc., function as
powerful reagents. All this occurs in a context in which the dissolution of the city's
limits becomes a potentially essential ele-*

Kazuyo Sejima y Ryue Nishizawa,
centro Multimedia, Oogaki, Japón, 1996.
Nuevos paisajes, nuevos territorios,
Macba/Actar, Barcelona, 1997,
pág. 113.
El edificio es un estudio que incluye
zonas de trabajo para artistas y un
espacio destinado a exposiciones.
La cubierta, una superficie de suave
inclinación, permite su uso como
plaza de acceso y como recinto
para exposiciones al aire libre.

*Kazuyo Sejima & Ryue Nishizawa,
Multimedia Center, Oogaki, Japan, 1996.
New Landscapes, New Territories,
Macba/Actar, Barcelona, 1997, p. 113.
The building is a studio that includes
work areas for artists and space intended for exhibitions. The roof, a slightly
inclined surface, can be used as an
entrance piazza as well as an open-air
exhibitions area.*

Ricardo González. Molins de Rei, Barcelona, enero de 1987. *Ricardo González*, Ediciones Universidad de Salamanca, Salamanca, 1994.

Ricardo González. Molins de Rei, Barcelona, January 1987. Ricardo González, *Ediciones Universidad de Salamanca, Salamanca, 1994.*

paso a un código de relaciones más difusas: el orden principal que sitúa cada parte con relación a un todo (de acuerdo a un sistema "euclidiano" de referencia) se resquebraja a favor de una visión fragmentaria de la realidad, donde el movimiento, lo efímero, etc., ejercen de potentes reactivos. Todo ello ocurre en un contexto en que la disolución de los límites de la ciudad es, posiblemente, la pieza esencial del discurso arquitectónico contemporáneo: la experimentación de la ciudad como tal no está ya vinculada a un territorio físico específico y, por lo tanto, la definición o percepción palpable de sus límites es indeterminada. Así, nuestro entorno difuso y homogéneo habla de arquitecturas como secuencias de acciones y no como objetos acabados.

En cualquier caso, incentivar la supervivencia de los lugares supone siempre contrastar un pasado que, por erosionante y desgastador, posiblemente haya sido su peor usuario, con energías nuevas del presente.[3] Desde la propuesta de este libro pretendemos que la nitidez que encontramos cuando confrontamos esos dos tiempos sea lo más vívida posible,

ment in contemporary architectural discourse: the experiencing of the city as such is no longer linked to a specific physical territory, and therefore the definition or palpable perception of its limits is indeterminate. Hence, our diffuse and homogeneous environment bespeaks architectures as sequences of actions, and not as finished objects.

In any event, encouraging the survival of different locations always presupposes contrasting a past that, being erosive and ruinous, may have been its worst user, with the new energies of the present.[3] The clarity we encounter in confronting these two moments in time seeks, as this book aims to show, to become as vivid as possible, not with any wish to insist on or to rewrite a particular past, but precisely due to the relative and ephemeral nature of the locations and uses of our actual surroundings and their potential for change, and to an increasingly necessary and present desire to reuse natural resources as a basis for mechanisms of action.

On the one hand, the deep —almost scientific— exploration and recognition of the preexisting elements that shape the reality of a place

Studio PER, *Mi terraza*
(fotograma), 1973.
Studio PER, *Arquitectura y lágrimas.*
Documentos de Arquitectura popular
catalana 1975 para un Museo de
Historia de la Ciudad, Tusquets,
Barcelona, 1975, pág. 80.

Studio PER, Mi terraza
(photogram), 1973.
Studio PER, Arquitectura y lágrimas.
Documentos de Arquitectura popular
catalana 1975 para un Museo de
Historia de la Ciudad, *Tusquets,*
Barcelona, 1975, p. 80.

Jacques Simon. Intervención en un
campo de *phacelias* de 100 metros
de longitud.
2G Revista Internacional de
Arquitectura, 3 *(Landscape*
Architecture: estrategias para la
construcción del paisaje),
Barcelona, 1997, pág. 125.

Jacques Simon. One
Hundred-Meter-Long Intervention
in a Field of Phacelias.
2G International Architecture
Review, *3* (Landscape Architecture:
Strategies for the Construction
of Landscape*), Barcelona,*
1997, p. 125.

pero no con el ánimo de insistir o refundar un pasado, sino, precisamente, por el carácter relativo y efímero de los usos y los lugares de nuestro entorno actual y su capacidad transformadora, así como por un afán que cada vez es más necesario y está más presente como es el reaprovechamiento de los recursos naturales como base para cualquier mecanismo de acción.

Así pues, la exploración y el reconocimiento profundo —casi científico— de las preexistencias que conforman la realidad de un lugar (desde líneas de fuerzas descritas por flujos, trazas geográficas relevantes, huellas dejadas sobre la tierra por asentamientos o desmesuradas explotaciones de la misma, o incluso desastres naturales, etc.) por un lado; y la utilización particular —casi partidista— de dichas preexistencias, adaptada a las necesidades de un nuevo programa —cambiante como el que le precedió— por otro, deben ser vistos, en buena medida, como el punto de partida del nuevo proyecto que, con la aplicación rigurosa y adecuada de técnicas que le ayuden a materializarse, reinventan el lugar.

(from lines of force described by flows, relevant geographical traces, imprints left on the earth by excessive working of the same or by settlements, or even natural disasters, etc.); and on the other, the particular —almost partisan— use of these preexisting elements, a use adapted to the needs of a new program —as changing as the one preceding it—, must be largely seen as the origin of the new project which, with the rigorous and right application of the technique which helps it to materialize, will reinvent the location.

In the hope of contributing to the perception of certain projects and works in a particular moment of their history —and along with this, new places, both designed and built—, we invite the reader to let his gaze roam across these, knowing that, in the strict astrophysical sense, they are going to reach him in the state they were one hundredth of a second before the commencement of his reading, the time that the light has taken to travel.

Peter Fischli y David Weiss.
*Opuestos populares: posible
e imposible*, 1981.
Peter Fischli; David Weiss, *Plötzlich
diese Übersicht*, Stähli Edition,
Zúrich, 1981.

Peter Fischli & David Weiss.
Popular Opposites: Possible and
Impossible, *1981.*
Peter Fischli; David Weiss, Plötzlich
diese Übersicht, *Stähli Edition,
Zurich, 1981.*

1. Aunque por un momento retrocedamos en el tiempo, cabe recordar, por el contrario, que la noción de paisaje tradicional se asocia a atributos como "armonía" y "belleza", en consonancia con un determinado ideal clásico establecido en el siglo xix. Su representación, sujeta al dictado de las fuerzas de la naturaleza (con toda su expresión brutal o, a veces, con sus matices sublimes) nos evoca un escenario que, además de pintoresco, se torna en fondo acotado y autónomo.
2. Concretamente el escultor Harvey Fite.
3. En este sentido, y en otra escala de valores y a título adimensional, la historia del universo es, según cuentan los astrofísicos, la historia de su constante evolucionar "enrareciéndose" bajo un proceso de enfriamiento gradual y, a su vez, en continua estructuración. Esta evolución acontece desde hace diez o quince mil millones de años aproximadamente, momento en que el universo es un caldo de materia informe a miles de millones de grados de temperatura (modelo descrito por el Big Bang). La ciencia reconstruye el inicio de la historia del mundo en ese preciso momento, definiendo un posible origen en el caos infinito e informe que progresivamente se va estructurando.

1. *Although we are momentarily going back in time, it's worth remembering that, on the contrary, the idea of a natural landscape is associated with attributes like "harmony" and "beauty", in accordance with a certain classical ideal established in the 19th century. Its representation, subject to the dictates of the forces of nature (with all its brutality of expression or, at times, its sublime nuances), evokes a setting that as well as being picturesque is converted into a delimited and autonomous background.*
2. *The sculptor Harvey Fite, to be precise.*
3. *In this respect, and on another scale of values and in a-dimensional terms, the history of the universe is, as the astrophysics experts tell us, the history of its constant "rarefaction" according to a process of gradual cooling and, in turn, continuous structuration. This evolution comes about over a period of some ten or fifteen million years, a time in which the universe is a seething mass of formless material at a temperature of tens of millions of degrees (the Big Bang model). Science reconstructs the beginning of the history of the world at that precise moment, defining a possible origin in an infinite, formless chaos that is progressively structured.*

Big House: John Lonsdale, Nynke Joustra, Steve Reid, Volker Ulrich

Paisaje de la memoria, Parque de la Paz, Península de Gallipoli, Turquía

Para la restauración y rehabilitación de este parque natural al sur de Turquía, se convocó un concurso que tenía como premisa fundamental la valoración de la memoria de esta península. Se propuso el tema de la paz como argumento de la convocatoria, en consonancia con el deseo de los visitantes de rendir homenaje a los caídos durante la I Guerra Mundial en este lugar.

Esta propuesta se aborda desde una técnica que utilizan los arqueólogos: la exploración estratégica del paisaje. Consiste en rastrear los puntos colindantes al descubrimiento de un resto, con el fin de detectar todas las zonas afectadas por la guerra. Se genera lo que podría ser un escáner de las cicatrices del conflicto en el paisaje, evidenciando los límites entre la intervención del hombre y el paisaje natural. La línea de costa y el borde entre las tierras altas y las bajas a lo largo del frente militar de la zona de conflicto o en medio de las zonas agrícolas y forestales, son las áreas que evidencian las relaciones entre los elementos que se tocan, encontrándose, sobreponiéndose o entrando en conflicto unos con otros. Aquí es donde el diálogo entre el hombre y la naturaleza se manifiesta más claramente en el paisaje. Se proponen seis proyectos de restauración y conservación que ponen de manifiesto una historia jamás contada en la península de Gallipoli. Cada proyecto, ubicado en alguna de estas zonas marginales, estructura una capa nueva que se enlaza en la continuidad histórica del lugar. La península, como lugar configurado a partir de capas en constante dinamismo entre hombre y entorno natural, se entiende como paisaje de la memoria.

Una coreografía de caminos y trayectorias diversas articulan cada situación marginal del paisaje, guiando tanto a turistas como a habitantes del lugar dentro del parque. Cada coreografía o combinación de rutas (como el Camino de la Memoria, que sigue las antiguas áreas de conflicto militar), crean una sensación de recuerdo tangible. A través de los caminos, trincheras, tumbas, colinas y valles se revela su pasado oculto; el paisaje aparece animado y el visitante se orienta por la memoria misma del lugar.

FICHA TÉCNICA:
Autores: Big House: John Lonsdale, Nynke Joustra, Steve Reid, con Volker Ulrich.
Emplazamiento: Parque de la Paz, Parque Nacional Histórico de la península de Gallipoli, Turquía.
Convocantes del concurso: Dirección General para la Vida Salvaje y los Parques Nacionales del Ministerio de Recursos Forestales, por iniciativa del presidente de la República de Turquía.
Superficie: 33.000 ha (330 km^2). Longitud de la península: 80 km. Población: 10.000 habitantes.
Concurso: 1988 (cualificación como Parque Natural: 1973).

Landscape of Memory, Peace Park, Gallipoli Peninsula, Turkey

Big House: John Lonsdale, Nynke Joustra, Steve Reid, Volker Ulrich

For the restoration and rehabilitation of this natural park in the south of Turkey a competition was convoked which had as its basic premise the valorization of the memory of this peninsula. The subject of peace was proposed as the rationale behind the call for submissions, in accordance with the wish of visitors to render homage to the soldiers who fell here during World War One.

This scheme is tackled using a technique employed by archaeologists: the strategic exploration of the landscape, consisting in uncovering the points adjacent to the discovery of a find, the aim being to detect all the areas affected by the war. What is conceivably a scan of the scars of conflict in the landscape is generated, manifesting the frontiers between man's intervention and the natural landscape. The coastline and the border between the high and low ground along the military front of the conflict zone or in the middle of the farming and forested zones are the areas that evince the relationships between the elements that touch, meeting, being superimposed or entering into conflict with each other. This is where the dialogue between man and nature is most clearly manifested in the landscape. A series is proposed of six restoration and conservation projects that reveal a history never recounted in the Gallipoli Peninsula. Each project, sited precisely in one or other of these marginal areas, structures a new layer which is imbricated with the historical continuity of the location. As a location made up of layers in a state of constant dynamism between man and natural surroundings, the peninsula is understood as a landscape of memory.

A choreography of pathways and different trajectories articulates each marginal situation in the landscape, guiding both tourists and local inhabitants within the park. Each choreography or combination of routes (like the Memory Footpath, which follows the former areas of military conflict) creates a feeling of tangible recall. By means of the paths, trenches, graves, hills and vales we reveal its hidden past: the landscape seems animated and the visitor orients him- or herself via the very memory of the location.

Institución para la Investigación Científica y Tecnológica de Turquía, Instituto de Investigación de Mármara, Departamento de Tecnología Espacial, Sat TM B543, 16 de septiembre de 1987.

Turkish Scientific and Technological Research Institution, Marmara Research Institute, Department of Space Technologies, Land Sat TM B543, 16 September 1987.

TECHNICAL DATA:
Site: Peace Park, Gallipoli Peninsula National Historical Park, Turkey.
Authors: Big House: John Lonsdale, Nynke Joustra, Steve Reid, with Volker Ulrich.
Convokers of the competition: the Steering Committee for Wildlife and National Parks of the Forestry Commission, through the initiative of the President of the Republic of Turkey.
Surface area: 33,000 hectares (330 km2). Length of the peninsula: 80 km. Population: 10,000.
Competition: 1988 (specification as a Natural Park: 1973).

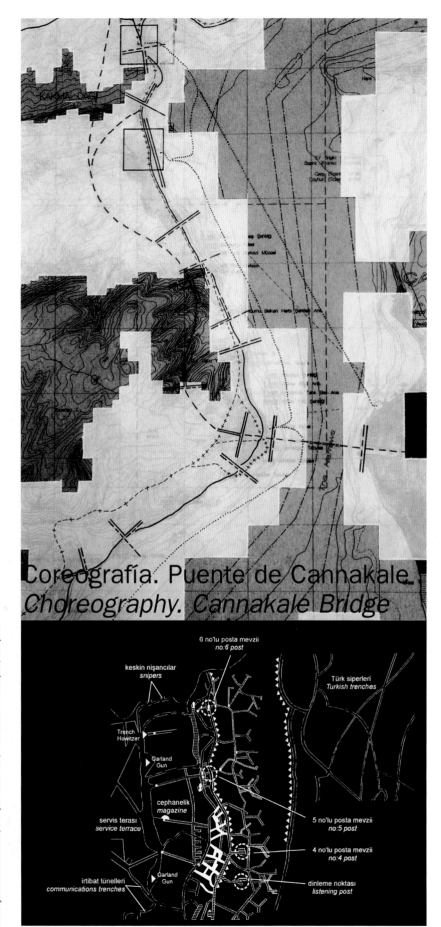

Coreografía. Puente de Cannakale
Choreography. Cannakale Bridge

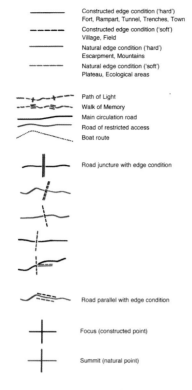

Constructed edge condition ('hard')
Fort, Rampart, Tunnel, Trenches, Town

Constructed edge condition ('soft')
Village, Field

Natural edge condition ('hard')
Escarpment, Mountains

Natural edge condition ('soft')
Plateau, Ecological areas

Path of Light
Walk of Memory
Main circulation road
Road of restricted access
Boat route

Road juncture with edge condition

Road parallel with edge condition

Focus (constructed point)

Summit (natural point)

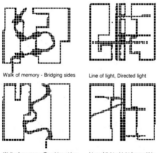

Walk of memory - Bridging sides

Line of light, Directed light

Walk of memory - Touching sides

Line of licht - Light from within

6 no'lu posta mevzii
no:6 post

keskin nişancılar
snipers

Türk siperleri
Turkish trenches

Trench Howitzer

Garland Gun

cephanelik
magazine

servis terası
service terrace

5 no'lu posta mevzii
no:5 post

4 no'lu posta mevzii
no:4 post

irtibat tünelleri
communications trenches

Garland Gun

dinleme noktası
listening post

*Top
Allied soldiers watching the Turkish
line through periscopes.*

Abajo
Trincheras del 125 Regimiento
Turco. Johnston's Jolly.

*Bottom
125th Turkish Regiment trenches.
Johnston's Jolly.*

Kyllie Koyu Eceabat. Último puesto
de control en los Dardanelos
construido por los otomanos.
Se comenzó a finales del siglo XVIII,
bajo el mandato del sultán Selim
III, y se concluyó a principios del
siglo XIX bajo Mahmut II.

*Kyllie Koyu Eceabat. Final
Dardenelles control post erected
by the Ottomans. Begun by Sultan
Selim III during the final years of
the 18th century, it was completed
by Sultan Mahmut II during the
early 19th century.*

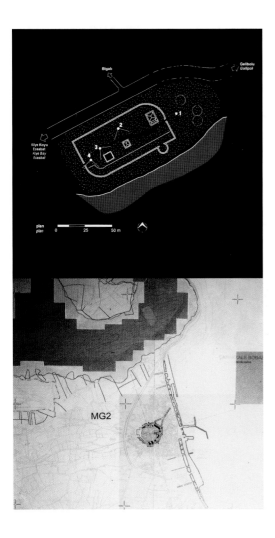

Propuesta. Escáner de las
cicatrices del conflicto.

*Proposal. Scan of the scars
of the conflict.*

Puerto de Kabatepe.
Kabatepe Harbor.

Cementerio del pino solitario.
Lone Pine Cemetery.

Monumento y bahía Morto.
Memorial and Morto Bay.

Seddulbahir y fuerte.
Seddulbahir and fort.

Bahía Kilye.
Kilye Bay.

Mapa de los campos de batalla de Gellipoli (finales de 1916).
Map of the Gallipoli battlefields at the end of 1916.

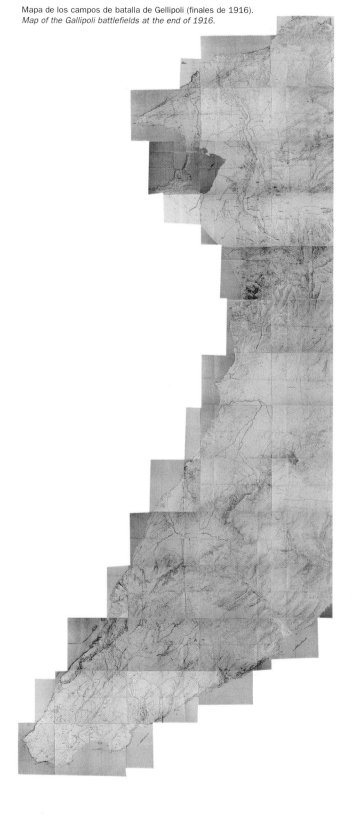

2/7

Leyenda de Sevki Pasa. Fuente: Australian War Memorial Museum.

Sevki Pasa captions. Source: Australian War Memorial Museum.

A1

1. Alambrada sencilla *Single thin wire fence*
2. Alambrada de espinos *Barbed wire fence*
3. Alambrada en rulos *Round wire fence*
4. Doble alambrada *Double wire fence*
5. Alambradas *Wire fences*
6. Trincheras *Ordinary trenches*
7. Línea de fuego *Fire line*
8. Zanja *Ditch*
9. Carretera en trinchera *Trench road*
10. Carretera de transporte *Transport road*
11. Carretera oculta *Concealed road*
12. Carretera de transporte y aproximación *Transport and approach road*
13. Puesto de vigilancia *Watching point*
14. Refugios regular *Shelters*
15. Refugios sencillos *Single ordinary shelters*
16. Refugios subterráneos *Underground shelters*
17. Puesto para ametralladora *Machine-gun nest*
18. Posiciones de artillería *Artillery positions*
19. Campamentos *Encampments*
20. Zonas para tiendas de campaña sencillas o dobles *Single or double tent areas*
21. Salas *Room areas*
22. Tiendas de campaña o barracas desmoronadas *Tents or collapsed barracks*
23. Ferrocarril de vía estrecha *Narrow-gauge railroads*
24. Carreteras construidas durante la guerra *Roads constructed during war*
25. Conducto de agua *Water line*
26. Depósito de agua *Water reservoir*
27. Tanque de agua *Water tank*
28. Compresor de agua *Water compressor*
29. Pozos *Wells*
30. Bombas de agua *Water pumps*
31. Barcos hundidos *Sunken ships*
32. Tumbas indias (musulmanas) de guerra *Indian (Moslem) war graves*
33. (Doble) línea de trincheras para fuego de precisión (las líneas de puntos indican túneles) *(Double) sharpshooter line advanced trenches (dotted lines show tunnels)*

A2

1. Puesto para rifle *Rifle pit*
2. Alambrada *Wire fence*
3. (Redes de) alambrada *Wire fence (netting)*
4. Línea de fuego sin trincheras de conexión *Firing line without connecting trenches*
5. Línea de fuego con trincheras de conexión *Firing line with connecting trenches*
6. Carretera de transporte *Transport road*
7. Carretera oculta *Concealed road*
8. Zanjas de transporte con trincheras de conexión *Transport ditch with connecting trenches*
9. Puestos de vigilancia *Lookout points*
10. Refugios subterráneos privados general *Underground shelter for privates*
11. Refugios subterráneos *Underground shelters*
12. Sala de refugio subterráneo cubierta con chapa de acero *Underground shelter room with sheet iron roof*
13. Refugios subterráneos con muros de cierre *Underground shelters with frame walls*
14. Refugios sencillos *Single ordinary shelters*
15. Campamentos *Encampments*
16. Zonas de acampada *Encampment areas*
17. Obús *Howitzer*
18. Mortero *Mortar gun*
19. Cañón de campo de batalla *Field gun*
20. Cañón de montaña *Mountain gun*
21. Cañones pesados y antibarcos *heavy Field and ship guns*
22. Batería antiaérea *Anti-aircraft guns*
23. Bomba profunda de pozo *Deep well pump*
24. Ferrocarril de vía estrecha *Narrow-gauge railroad*
25. Carreteras construidas durante la guerra *Roads constructed during the war*
26. Monumento conmemorativo *Memorial*
27. Cementerio de guerra (musulmán) *War cemetery (Moslem)*

17

Manuel de Solà-Morales

Ville-port atlantique, Saint-Nazaire, Francia

Al igual que hay "centros históricos", lugares que la historia ha considerado como centros, hay periferias hechas por la historia. Estas periferias históricas son lugares que el tiempo y la memoria han arrinconado al margen de lo cotidiano. Aunque puede tratarse de zonas centrales desde el punto de vista topográfico, el inconsciente urbano disimula aquellas áreas que no quiere reconocer, por incómodas, confusas o conflictivas.

La historia ha hecho del puerto de Saint-Nazaire periferia. Una historia de recuerdos marcados por el sufrimiento y la destrucción. El esfuerzo por rehacer la ciudad bombardeada y la presencia de la base submarina, construida en 1941 por el almirante Doenitz y el doctor Todt para albergar a la flota submarina de las SS, materializa el recuerdo de la ocupación y la tragedia. También existen historias más recientes de zonificación segregativa, de crisis industrial en los legendarios Chantiers Navals, de repliegue centrípeto frente a la creciente dispersión suburbana.

La voluntad de reafrontar la periferia portuaria es, sobre todo por parte de la ciudad, un acto de inteligencia, una afirmación de conciencia del presente y de superación del pasado construida con respeto y conocimiento.

Reconocer la periferia será, en el proyecto, asumir la condición híbrida del espacio portuario, su gran capacidad de alojamiento, sus franquicias tan amplias como sus horizontes; y establecer una relación de distancia controlada con el centro urbano que mantenga las diferencias y los vacíos como la expresión principal del espacio.

Vacíos en el suelo y vacíos en el espacio; también en el uso. Expectativa de aquello por venir. Sordina a los lugares protagonistas, dignidad ausente para la memoria (las emociones).

La evidente tensión monumento-ciudad, entre una mole de 900.000 m³ y una ciudad continua y homogénea pero construida con muy baja densidad, invierte, sin embargo, los términos aparentes de la periferia. El nuevo lenguaje está al margen y el tejido urbano parece sólo un soporte tranquilizante de la misteriosa emergencia al borde del agua.

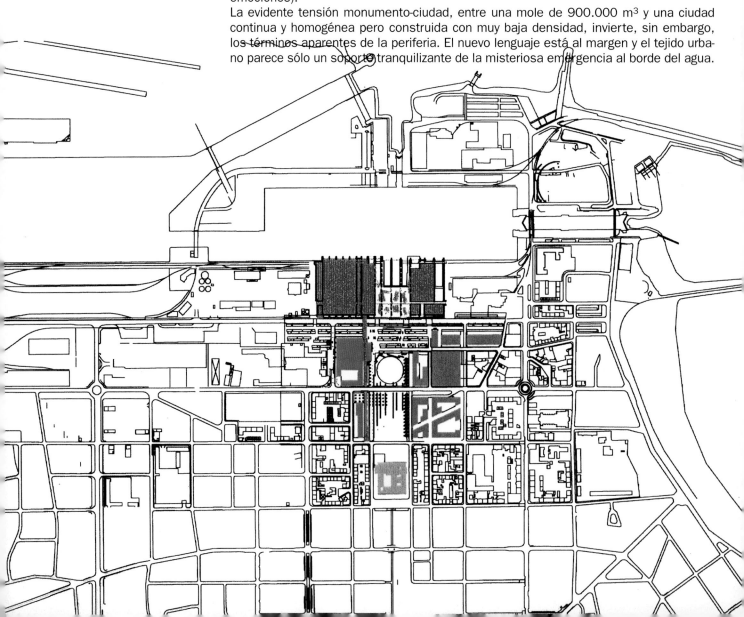

Manuel de Solà-Morales

Ville-Port Atlantique, Saint-Nazaire, France

Just as there are "historical centers", places that history has considered to be centers, so there are peripheries created by history. These historical peripheries are places on the fringes of the everyday that both time and memory have overlooked. Although this may involve central areas from the topographical point of view, the urban unconscious conceals those areas it does not wish to recognize because they are inconvenient, confused or conflictive.

History has turned the port of Saint-Nazaire into something peripheral. A history of reminders marked by suffering and destruction. The effort to rebuild the bombed city, and the presence of the submarine base constructed in 1941 by Admiral Doenitz and Doctor Todt to house the SS submarine fleet, gives material form to the memory of the Occupation and to tragedy. More recent histories exist of segregated zoning, of industrial crisis in the legendary Naval Dockyards, of centripetal retraction before an ever-growing suburban dispersion.

The will to confront the port periphery once again is, above all for the city, an act of intelligence, the affirmation of an awareness of the present and an overcoming of the past, constructed with knowledge and respect.

To recognize the periphery will mean, in project terms, to assume the hybrid nature of the port space, its enormous capacity for accommodation, its sanctuaries as ample as its horizons; and to establish a relationship of controlled distance from the town center which maintains the differences and the gaps as the main expression of the space. Gaps on the ground and gaps in the space; also in use. An anticipation of what is ahead. Silent are the main locations, an absent dignity for the memory (the emotions). The obvious tension between monument and city, between a 900,000 m3 mass and a city that is continuous and homogeneous yet built with extremely low density, nevertheless inverts the apparent terms of the periphery. The new language is on the fringes and the urban fabric appears to be merely a reassuring support for the mysterious excrescence on the edge of the water.

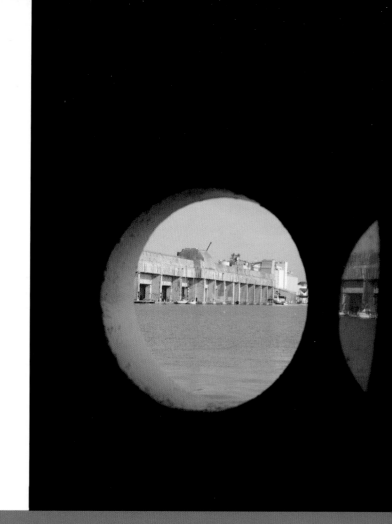

Página siguiente
Vista desde el interior del recinto portuario.
El límite tierra-agua recoge la tensión del
encuentro de la opulenta presencia de la masa
construida con el plano de la ciudad.

Next page
View from inside the port enclave.
The land/water boundary subsumes the tension
of the meeting of the opulent presence of the built
mass and the plane of the city.

El proyecto Ville-Port para Saint-Nazaire, elaborado en sucesivas fases de concurso y de ejecución desde 1994 a 1998, plantea un sistema de nuevas referencias en el territorio portuario que permitan imbricar la ciudad y el puerto en una nueva relación, más abierta, mixta y activa. Las referencias son el vacío (plazas y aparcamientos) entre el centro y la base submarina; la rampa de acceso a la cubierta de la base con sus edificios incorporados (hipermercado y viviendas); el "atrio portuario" en el interior (vestíbulo de salas de exposición, cines y restaurantes); y, seguidamente y a distancia, envolviendo el ámbito que marca la base, las torres (las nuevas y las existentes) sobre el puerto, junto al refuerzo de las avenidas que lo abrazan fundiendo toda el área en una estructura laxa y poderosa. Una estructura de relaciones visuales y funcionales que marcan efectivamente un territorio periférico, manteniendo plenamente la vida de sus industrias (silos, frigoríficos, arsenales, lonjas y amarres de pesca) mezcladas con algunas funciones regionales y ciudadanas de ocio, cultura y comercio.

La doble penetración de la fortificación militar, accesible en sus plataformas de cubierta y en sus alvéolos al nivel del agua, son trazas que, por su largo alcance, enlazan el centro de la ciudad con el horizonte abierto del puerto y el estuario. Las referencias circundantes, aunque lejanas, de los silos y edificios en altura, acentúan la magnitud de los vacíos intermedios y establecen la escala y la nueva condición periférica intensiva de este territorio.

FICHA TÉCNICA:
Emplazamiento: Saint-Nazaire, Loire Atlantique, Francia.
Autor: Manuel de Solà-Morales.
Colaborador: Oriol Clos.
Consultores: ESTEYCO, Ingeniería:
Javier Rui-Wamba, Madrid.
COMETA, Ingeniería, Saint-Nazaire.
ATELIER RUELLE PAYSAGE, Angers.
Concurso: 1996.
Proyecto: 1996-1998.
Construcción: 1999-2000.
Promotor: Délégation au Dévelopement de la Région Nazarienne Mairie de Saint-Nazaire, Loire Atlantique.

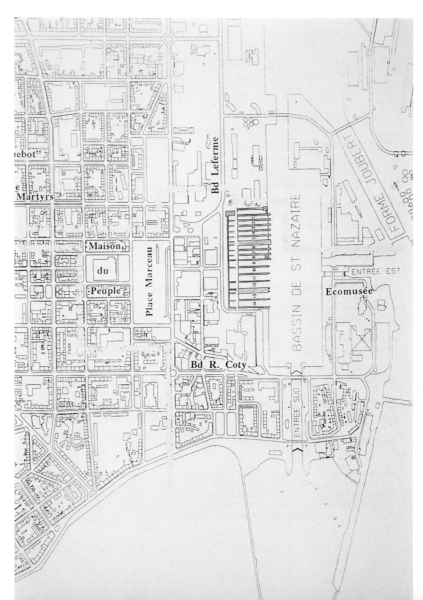

Ville-port atlantique, Saint-Nazaire, Francia

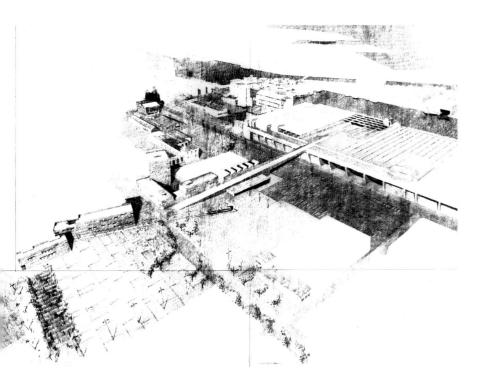

The Ville-Port project for Saint-Nazaire, elaborated in successive competition and execution stages from 1994 to 1998, posits a system of new references in the port area, thus enabling us to imbricate city and port in a new, more open, mixed and active relation. These references are the empty spaces (squares and parking areas) between the center and the submarine base; the access ramp to the roof of the base, with its incorporated buildings (the hypermarket and apartments); the port "atrium" within (the concourse of exhibition halls, cinemas and restaurants); and next, and at some distance, encircling the limits of the base, the towers (both new and extant) above the port, next to the reinforcement of the avenues that embrace it, fusing the whole area into a loose and powerful structure. A structure of visual and functional relationships that effectively mark out a peripheral territory, wholly sustaining the life of its industries (silos, cold-storage plants, storehouses, fish markets and moorings), combined with various regional and civic functions to do with leisure, culture and commerce.

The twin openings of the military fortifications, accessible via their roof decks and their water-level pens, are devices that, given their extended reach, link the center of the city to the open horizon of the port and estuary. Although distant, the surrounding references of silos and high-rise buildings accentuate the magnitude of the intermediary open spaces, setting the scale and the new, intensive, peripheral condition of this territory.

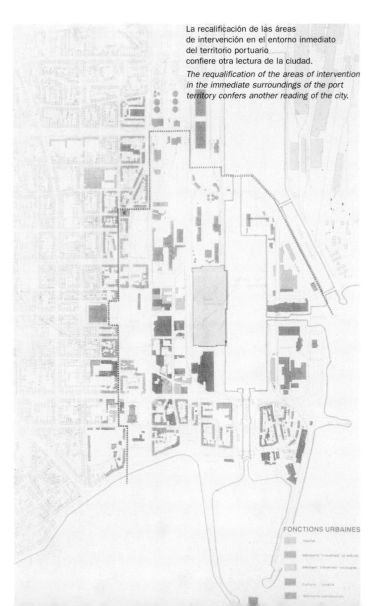

La recalificación de las áreas de intervención en el entorno inmediato del territorio portuario confiere otra lectura de la ciudad.

The requalification of the areas of intervention in the immediate surroundings of the port territory confers another reading of the city.

FONCTIONS URBAINES

TECHNICAL DATA:
Site: Saint-Nazaire, Loire-Atlantique, France.
Author: Manuel de Solà-Morales.
Collaborator: Oriol Clos.
Consultants: Esteyco Engineering
(Javier Rui-Wamba), Madrid.
Cometa Engineering, Saint-Nazaire.
Atelier Ruelle Paysage, Angers.
Competition: 1996.
Project: 1996-1998.
Construction: 1999-2000.
Promotor: Commission for the Development
of the Saint-Nazaire Region, Saint-Nazaire
Town Hall, Loire-Atlantique.

Página siguiente arriba
Acceso a la cubierta de la base.

Next page top
Access to the base's roof.

Página siguiente abajo
Vistas interiores.

Next page Bottom
Interior views.

Vista del interior de uno de los
alveolos de la base.

View from inside one of the base's
submarine pens.

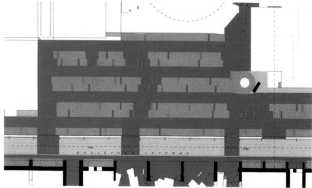
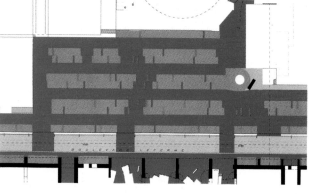

Página siguiente arriba
Planta original general del recinto con los catorce alveolos para los distintos submarinos.

Next page top
Original general plan of the enclosure with the fourteen different submarine pens.

Abajo
Sección por el eje del alveolo VII.
Bottom
Section through the axis of submarine pen VII.

La intervención conlleva no sólo reavivar la antigua base de submarinos con nuevos usos, sino que, a su vez, y en concordancia con la lógica de operar en la ciudad, el entorno inmediato también se ve afectado. Se generan y recalifican nuevos espacios públicos y se implantan nuevos edificios de viviendas y equipamientos.

The intervention not only involves endowing the former submarine base with new uses but in turn, and in agreement with the city's operative logic, the immediate surroundings are affected. New public spaces are generated and requalified, and new apartment buildings and facilities are introduced.

Sección transversal de la propuesta.
Cross-section of the scheme.

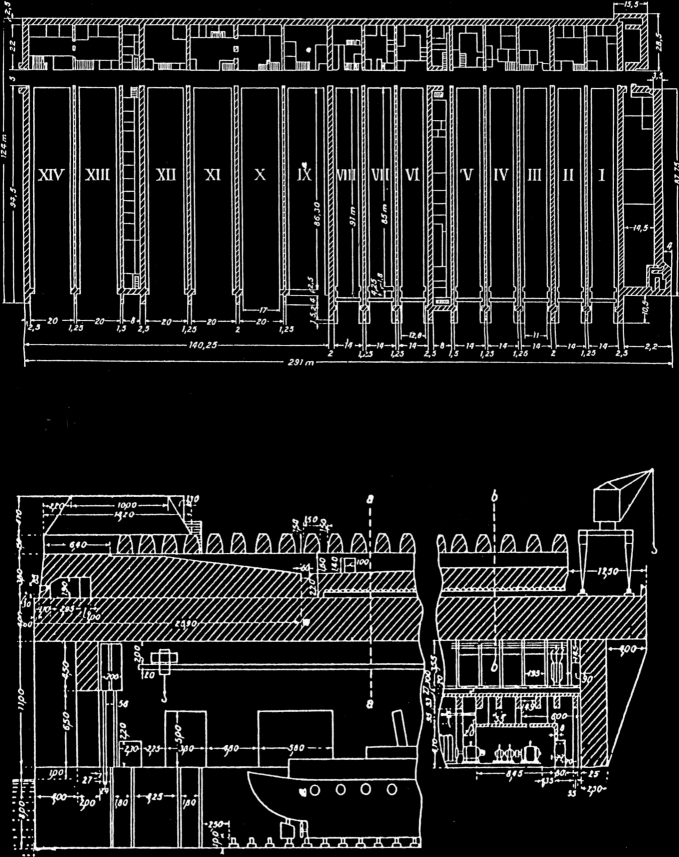

Página anterior arriba
Antesala de la cubierta.
Previous page, top
Roof lobby.

Página anterior abajo
La cubierta como paradigma de
nuevo lugar para la ciudad.
Previous page, bottom
The roof as paradigm of a new
location for the city.

Recinto bajo cubierta.
Roofed enclosure.

Sucesión de umbrales en
el recorrido longitudinal
de la cubierta.
Succession of thresholds
in the longitudinal space
of the roof.

Various authors

International Ideas Competition for the Kéroman Base in Lorient, France

Vista parcial de la antigua base alemana de submarinos, Lorient, Bretaña (Francia), 1997.
Partial view of the former German submarine base, Lorient, Brittany, France, 1997.

Acceso a uno de los alveolos.
View of the access to one of the pens.

Construida en 1941 por la organización Todt para activar la guerra submarina en el Atlántico Norte, la base de Lorient estaba dentro de los planes estratégicos para establecer una estructura naval alemana en las costa francesa. Construida en menos de ocho meses, era, en esencia, el santuario de los submarinos alemanes, al que volvían con regularidad y en el que eran reparados.

La base está formada fundamentalmente por tres cuerpos de hormigón, que suman en total unos 650.000 metros cúbicos que, en su llamativa monumentalidad, muestran una simplicidad arquitéctonica extrema, volúmenes y espacios primarios, y el minimalismo radical de una arquitectura, que por otra parte, responde a un planteamiento complejo.

La envergadura de la base de Lorient se convirtió pronto en una amenaza para los aliados, y decidió definitivamente el destino de la ciudad, ya que sucesivos bombardeos destruyeron el centro urbano prácticamente por completo. La reconstrucción, que se inició en 1950, tardó quinze años en finalizarse.

Cuando los Franceses entraron en la base, después de la rendición del detacamento alemán que resistía en Lorient, encontraron las instalaciones en perfecto estado de funcionamiento. La Armada Francesa las utilizó hasta 1997.

La instalación de una compañía privada en el Kéroman 2 en 1998, probó, sin lugar a dudas, que era posible llevar a cabo una actividad profesional en el espacio que había sido concebido para ser un "garaje submarino", y hacerlo sin deteriorar la construcción.

Actualmente, Lorient busca su identidad urbana en relación con su historia marítima y una reestructuración económica basada en la modernización de las líneas de actividad económica ya existentes y de mayor importancia: un nuevo desarrollo de los muelles para convertirlos en espacios públicos, con la intención de animar a los habitantes de Lorient a reconquistar el litoral de su ciudad.

Con la ayuda del Ministerio de Defensa francés, el distrito de Lorient (Morhiban) convocó un concurso internacional de ideas para reconvertir la base submarina Kéroman. Un comité reunió a las autoridades principales del distrito de Lorient, el departamento de Morhiban y la región de Bretaña, escogiendo como opción estratégica de reconversión y desarrollo la creación de un complejo que integrase las actividades industriales y de servicios, de formación e investigación, así como turismo y ocio. El elemento unificador de este programa fue la interacción entre el hombre y el mar, así como el interés en subrayar el conocimiento sobre el mar que atesoran los habitantes de Lorient.

El objetivo de este concurso fue establecer una figura de planificación capaz de llevar a cabo el desarrollo urbano con una visión a largo plazo, que podría servir como referente, no sólo a la base, sino también a las áreas cercanas, y guiar su evolución y relación con el centro urbano.

Constructed in 1941 by the Todt organization to prosecute the submarine war in the North Atlantic, the Lorient base fell within strategic plans for establishing a German naval structure on the French coast. Built in less than eight months, it was essentially a sanctuary for German submarines, to which they regularly returned and where they were repaired.
The base essentially consists of three concrete bodies, totaling some 650,000 m3. Despite their eye-catching monumentality, these bodies possess an extreme architectonic simplicity, involving basic volumes and spaces, and a radically minimalist architecture whose organization is complex.
The amplitude of the Lorient base soon became a threat to the Allies, and it finally determined the fate of the city, since successive waves of bombing all but destroyed the urban center. Begun in 1950, rebuilding took fifteen years to reach completion.
When the French entered the base after the surrender of the German forces in Lorient they found the facilities in perfect working order. The French Navy used these until 1997.
The installation of a private company in Kéroman 2 in 1998 proved beyond all doubt that it was possible to undertake professional activity in a space that had been conceived as a "submarine garage", and to do this without damaging the building.
Today Lorient seeks after its urban identity in relation to its maritime history and to an economic restructuring based on the modernization of already existing areas of economic activity of major importance: the new development of the quays, the goal of which is to convert these into public spaces and to urge the inhabitants of Lorient to reconquer the seaboard of the town. With the assistance of the French Ministry of Defense, the district of Lorient (Morhiban) convoked an international ideas competition for converting the Kéroman submarine base. A committee brought together the main authorities of the district of Lorient, the département of Morhiban and the region of Brittany, choosing as the strategic option for conversion and development the creation of a complex that would integrate industrial activities and services, training and research, plus tourism and leisure. The unifying element of this program was the interaction between man and the sea, together with an interest in privileging the knowledge the inhabitants of Lorient possess of the latter. The goal of this competition is to establish a planning concept capable of carrying through the urban development, along with a long-term vision which might serve as a frame of reference, not just in relation to the base, but also to the neighboring areas, and guide their evolution and rapport with the urban center.

Vista transversal desde la grada de la sucesión de alveolos.

Transversal view of the succession of pens from the slipway.

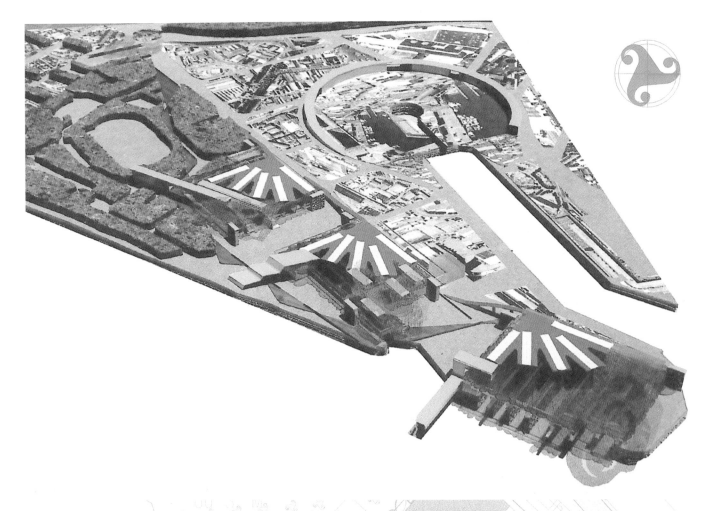

Antonio Sanmartín con Elena Cánovas y Luis Feduchi
La estrategia de la que se sirve esta propuesta se basa en
dos conceptos primordiales. Por una parte, la apertura de
todas las áreas envolventes de los búnkers, creando un
nuevo bosque que une y articula todas las piezas. En segundo lugar, se plantea la promoción de las actividades intrín-
secamente relacionadas con el lugar y que, como parte del
programa, contribuyen a la revalorización de todo el sector.
El límite norte del complejo puede pensarse como una nueva
área residencial muy similar a las existentes en las zonas
colindantes. De este modo, se plantea una conquista de
estos nuevos terrenos a través de patrones urbanos recono-
cidos por la ciudad. Una ruta peatonal *tapis roulant* recorre
todo el lugar y vincula el interior de los búnkers con el nuevo
espacio público del exterior. Una vez planteado el bosque, el
único espacio abierto es la cubierta de los búnkers, como
lugares nuevos. Aparcamientos, restaurantes, zonas de
esparcimiento y otras actividades se aproximan a estos nuevos horizontes y, de este modo, los búnkers prácticamente
desaparecen y forman parte de un nivel inferior.
"*Step by step*, doucement, *the tables are set. Bon* appétit!"

FICHA TÉCNICA:
Autores: Antonio Sanmartín con Elena Cánovas y Luis Feduchi.
Colaboradores: Ignacio López, Martín Ezquerro.
Lema de la propuesta: "Aller doucement (ir lento)".

Antonio Sanmartín con Elena Cánovas y Luis Feduchi

Antonio Sanmartín with Elena Cánovas and Luis Feduchi

The strategy this scheme employs is based on two basic concepts. Firstly, the opening up of all the areas surrounding the bunkers, creating new woodland which unites and articulates all the elements. Secondly, the promotion is proposed of activities intrinsically related to the location and which, as part of the program, contribute to the revalorization of the whole sector. The northern edge of the complex can be thought of as a new residential area, similar to those existing alongside it. In this way a conquest of these new expanses of land is proposed by recourse to urban models recognized by the town. A pedestrian walkway ("tapis roulant") crosses the entire location and links the interior of the bunkers to the new public space on the outside. Once the wood is planted, the only remaining open space is the roofing of the bunkers. Parking spaces, restaurants, areas for relaxation and other activities avail themselves of these new skylines, and due to this the bunkers practically disappear, forming part of a lower level.

"Step by step, doucement, the tables are set. Bon appétit!"

TECHNICAL DATA:
Authors: Antonio Sanmartín with Elena Cánovas and Luis Feduchi.
Collaborators: Ignacio López, Martín Ezquerro.
The scheme's motto: "Aller doucement (igo slowly)."

Secciones.
Sections.

SECTIONS B4 N

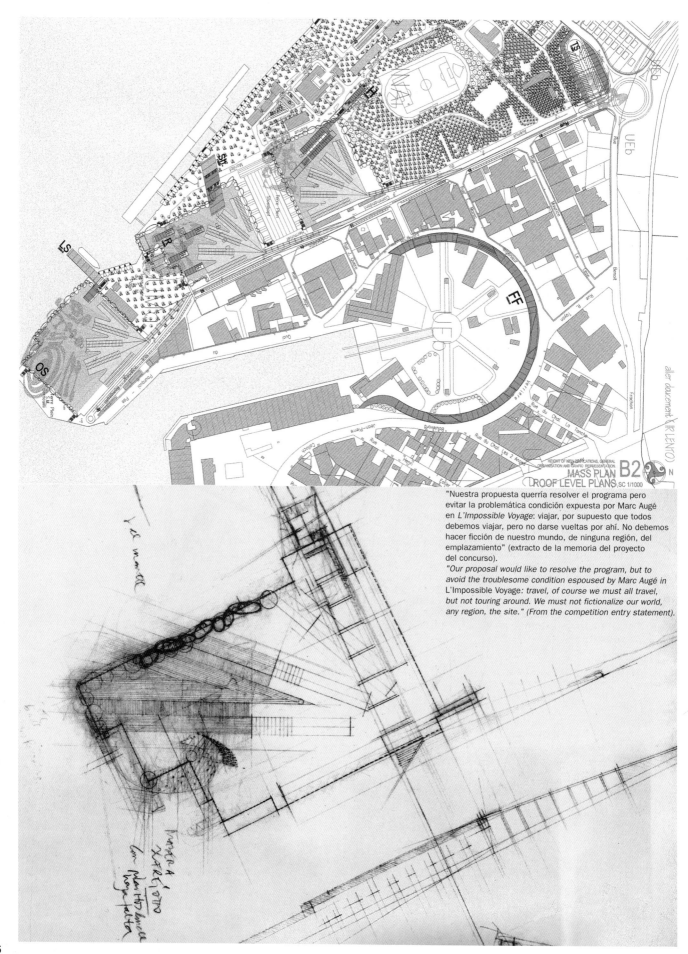

"Nuestra propuesta querría resolver el programa pero evitar la problemática condición expuesta por Marc Augé en *L'Impossible Voyage*: viajar, por supuesto que todos debemos viajar, pero no darse vueltas por ahí. No debemos hacer ficción de nuestro mundo, de ninguna región, del emplazamiento" (extracto de la memoria del proyecto del concurso).

"*Our proposal would like to resolve the program, but to avoid the troublesome condition espoused by Marc Augé in* L'Impossible Voyage: *travel, of course we must all travel, but not touring around. We must not fictionalize our world, any region, the site.*" (From the competition entry statement).

Christopher Boyadjian

El proyecto toma como premisa de rehabilitación inicial la reconquista del lugar como transformación global del paisaje existente. No se trata únicamente de abrir y desvelar el secreto o enigma militar: la posición estratégica transitoria confiere a la casi isla de Kéroman la responsabilidad de gran intervención a efectos de ordenación del territorio del municipio.

Abrir el enclave de submarinos ofrece la oportunidad única de enfrentar una fachada pública al litoral. El entrelazado de los diferentes elementos en las orillas del río da riqueza al lugar.

El proyecto propone una visión particular de esta reconquista, por toques sucesivos diferenciados. De esta manera, programas diversos se yuxtaponen para formar una continuidad en la relación entre territorio y su litoral.

El impacto social de un proyecto de esta envergadura es un desafío para la colectividad. La propuesta establece un proceso de integración de este pedazo de villa rica en historia. Como en 1989 en Berlín, se invita a los visitantes a descubrir el otro lado. Se pretende que los trabajos de rehabilitación y de construcción sean una actividad interactiva.

Se estructura el paisaje para encontrar el punto afín entre océano y tierra. Respetar el entorno permitiendo un uso racional de la costa. Traspaso de equipamientos vinculados al litoral de la piscina de ocio a la plataforma *high-tech*.

La estructura de búnkers se presta a combinaciones programáticas sorprendentes. Por otro lado, cada búnker se percibe como un barrio con carácter propio, sus habitantes, su evolución interna y externa con posibilidades para conquistar la cubierta.

FICHA TÉCNICA:
Autores: Christopher Boyadjian, Patrice Prével.
Colaboradores: Lionel Boulay, Bruno Romanet.

Christopher Boyadjian

The project takes as a starting point for any rehabilitation the re-appropriation of the location in terms of a general transformation of the existing landscape. This doesn't just mean unlocking and revealing the military secret or enigma: its transitory strategic position confers on the Kéroman peninsula the responsibility for an important intervention intended to develop the municipal territory.

Opening up the submarine enclave offers a unique opportunity to bring a public frontage face to face with the littoral. The interlocking of the various elements on the banks of the River Ter lends richness to the location.

The project puts forward a particular vision of this re-appropriation by means of successive, differentiated touches. To this end, diverse programs are juxtaposed in order to lend continuity to the relationship between the territory and its littoral.

The social impact of a project of this breadth presents a challenge for the community. The proposal establishes a process of integration of this part of a town rich in history. As in 1989 in Berlin, we invite visitors to discover the other side of things. We hope that the works of rehabilitation and construction become an interactive process.

The landscape is structured so as to locate the point of affinity between ocean and land, respecting the surroundings and leading to rational use of the coast. A shifting of amenities linked to the seaward side of the recreational swimming pool to the high-tech platform. The structure of the bunkers lends itself to surprising programmatic combinations. Added to which, each bunker is perceived as a neighborhood with its own character, its inhabitants, its interior and exterior development offering possibilities for appropriating the roof.

TECHNICAL DATA
Authors: Christopher Boyadjian, Patrice Prével.
Collaborators: Lionel Boulay, Bruno Romanet.

Arriba
Vista aérea de la propuesta.
Top
Aerial view of the scheme.

Abajo
Propuesta para el espacio
entre dos de los tres búnkers
que forman el conjunto.
Bottom
Scheme for the space between
two of the three bunkers
making up the complex.

Christopher Boyadjian

Francis Soler

Las brisas se parecen a la vida: construyen el universo y el espíritu, organizan las resistencias.

En la antigua tradición, los ángeles mensajeros no toman siempre forma humana. Se deslizan o se desplazan en bocanadas de aire o corrientes de agua. El temblor de un árbol, el chapoteo del agua o el flamear de las velas indican su presencia, añaden movimiento a las sensaciones particulares de calor o de frío.

En múltiples lenguas las palabras que despeinan el alma, el espíritu o los ángeles, se apoyan sobre vocablos que designan el soplo de aire, el viento o la luz. Son flujo en tanto en cuanto sentimos sensorialmente y transforman nuestras actitudes o reorganizan a veces nuestros paisajes.

La brisa alcanza la cumbre de las aspas, se desliza y se suma en torbellinos y turbulencias sobre los nuevos territorios de Kéroman. Los flujos, en apariencia desordenados, se organizan en un orden físico y sólido que constituye una masa invisible y preciosa, tan densa como la densa materia de los búnkers.

Un campo de aspas gráciles capta los vientos inestables e imprevisibles. Constituye un parterre de mástiles que perforan las masas imponentes de hormigón: una malla sobre el antiguo territorio hasta llegar a las aguas de la Rade.

Abajo, a ras del agua, una fortaleza heredada del III Reich clama por su soledad.

Es la herida y la fiereza de Lorient. Construida por los alemanes para albergar sus invencibles submarinos, la base de Kéroman es un patrimonio extraño que visitan en verano un puñado de turistas curiosos por la historia.

Todo aparece abandonado y la cuestión de su reconversión se pone en duda. Después de todo, lo que resta del pasado, ¿no se inscribe siempre en los registros inexpugnables de Dios o de la guerra? ¿Acaso siempre hace falta satisfacer esta extraña admiración o esta singular fascinación hacia los castillos, las fortalezas, las iglesias o los templos?

Pero afortunadamente, los lugares de la memoria no son más lo que eran, se convierten en aquello que nosotros queramos: espacios donde la vida se recompone sobre las trazas del pasado, hasta transformarlas con dicha.

Francis Soler

Breezes are like life: they construct the universe and the spirit, they organize resistances.

According to ancient tradition, angel-messengers didn't always take on human form. They slipped by or shifted about in the gusting of wind or the flowing of water. The trembling of a leaf, the splashing of water or the flaring of candles indicate their presence, they add movement to the particular sensations of heat or cold. In many languages the words that refer to the soul, the spirit or the angels are based on terms designating the gusting of air, wind or light. They are flow, inasmuch as we experience them sensually, and they transform our attitudes or sometimes reorganize our landscapes.

The breeze hits the top of the sails, glides along and is conjoined in whirls and whorls above the new territories of Kéroman. Seemingly disordered, the flows are organized in a solid physical order that forms an invisible and beautiful mass, as dense as the dense material of the bunkers.

A field of graceful sails catches the unstable, unpredictable winds. It forms a parterre of masts that perforate the imposing concrete masses: a grid atop the old territory, extending down to the waters of La Rade.

Below, at water level, a fortress inherited from the Third Reich clamors for its solitude. It is the scar and the eyesore of Lorient. Built by the Germans to shelter their invincible submarines, the Kéroman base is a strange inheritance, visited in summer by a handful of tourists fascinated by history.

Everything looks abandoned and the question of its conversion is placed in doubt. All things considered, isn't what remains of the past always inscribed in the unassailable registers of God or of war? Isn't it forever necessary to satisfy this strange admiration and this bizarre fascination for castles, fortresses, churches or temples?

Fortunately the places of memory are no longer what they were. They are converted into what we would like them to be: a space where life is reconstituted on the traces of the past, to the point, happily, of transforming these.

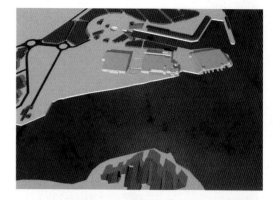

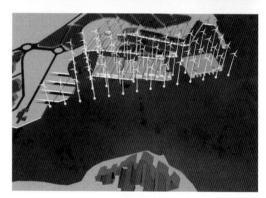

Secuencia de los tres momentos que materializan el proyecto: arriba, estado previo; medio, aislamiento de los búnkers, debajo, parterre de mástiles.

Sequence of the three moments that give shape to the project: top: former state, middle: isolating of the bunkers, bottom: parterre of masts.

Página siguiente, arriba
Un campo de aspas capta los vientos inestables e imprevisibles.

Next page, top.
A field of sails captures the unstable and unforeseeable winds.

Abajo
Vista interior.

Bottom
Interior view.

FICHA TÉCNICA:
Autor: Francis Soler.
Ingeniería: EDF.

TECHNICAL DATA:
Author: Francis Soler.
Engineering: EDF.

Peter Beard

Las preexistencias de los búnkers y el territorio de la base se toman como origen formal y funcional del proyecto. Las estructuras esenciales del paisaje se identifican y ajustan con una serie de acciones simples y sutiles planteadas en varias fases. La cubierta de los búnkers se agujerea, quitando algunas losas de cubierta, para permitir el paso de la luz. Los límites de la antigua base naval se borran selectivamente y, usando el material de desecho fruto de la demolición parcial de los búnkers, un nuevo límite se dibuja en el territorio. Este nuevo espacio abierto se ofrece a la ciudad como parque público, muelle para embarcaciones y una nueva parcelación para edificios. Se colocan objetos arquitectónicos de pequeña escala en la parte más alta de la cubierta de los búnkers generando nuevos cerramientos y usos en el interior y el exterior de cada célula transformada. El objetivo final de la intervención es provocar la apropiación creativa, más espontánea que impuesta, y el establecimiento de este nuevo paisaje por parte de los habitantes de Lorient.

FICHA TÉCNICA:
Autor: Peter Beard.
Colaboradores: Claire Fleetwood, Jim McKinney, Asa Bäckmann.
Consultor: Mark Weatherby (Appleyard & Trew).

Peter Beard

The pre-existing elements of the bunkers and the territory of the base are taken as the formal and functional origin of the project. The essential structures of the landscape are identified and brought into line with a series of simple and subtle interventions planned in various phases. The roofing of the bunkers is pierced by removing some of the roof slabs, allowing light to enter. The boundaries of the formal naval base are selectively obliterated and, using the rubble from the partial demolition of the bunkers, a new boundary is marked out on the territory. This new open space is offered to the town as a public park, a mooring for boats and a new plot layout for buildings. Small-scale architectonic objects are placed on the highest part of the bunker roofing, generating new enclosures and uses on the inside and outside of each transformed cell. The main goal of the intervention is to bring about the spontaneous, rather than imposed, creative appropriation and establishing of this new landscape on the part of the inhabitants of Lorient.

TECHNICAL DATA:
Author: Peter Beard.
Collaborators: Claire Fleetwood, Jim McKinney, Asa Bäckmann.
Consultant: Mark Weatherby (Appleyard & Trew).

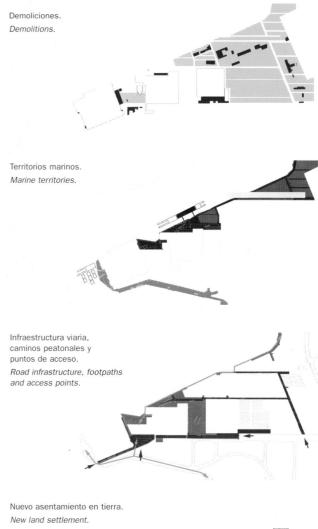

Demoliciones.
Demolitions.

Territorios marinos.
Marine territories.

Infraestructura viaria, caminos peatonales y puntos de acceso.
Road infrastructure, footpaths and access points.

Nuevo asentamiento en tierra.
New land settlement.

Este proyecto propone el recultivo del actual y semiabandonado paisaje posmilitar de la base de Kéroman. Las primeras herramientas utilizadas han sido la grúa demoledora, la bola de destruccón del hormigón y la apisonadora. Se toman los búnkers y el territoro existente como algo dado. Las estructuras esenciales de este paisaje se identifican y ajustan con una serie de acciones simples y orquestadas

This project imagines the recultivating of the current semi-derelict, post-military landscape of the Kéroman base, the first tools of this process being the demolition crane, concrete crusher and compactor. The bunkers and the existing territory are taken as given. The essential structures of this given landscape are identified and adjusted with a series of simple, staged actions.

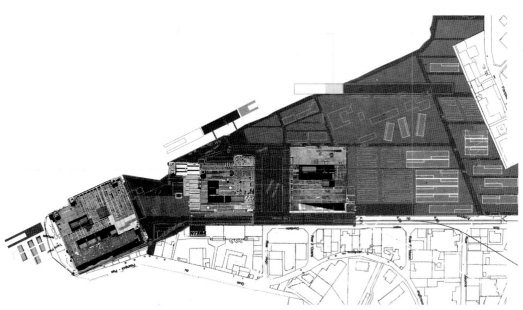

Peter Beard

41

Dürig + Rämi

La memoria histórica y la potencia como esculturas de las estructuras de los búnkers fueron los elementos que más se valoraron para realizar esta propuesta. Como punto de partida para la distribución general, se toma la expansión interrumpida del búnker central, cerrado en todos sus lados pero sin cubrir, un espacio inusual que llama la atención por su contraste con el espacio cerrado de los búnkers y, al mismo tiempo, porque pone de manifiesto el poder y la fragilidad que coexisten en todo el complejo. Por esta razón, se convierte en el elemento base de la propuesta artística, arquitectónica y urbana. El patio abierto al cielo se repite en forma de nuevo edificio para los búnkers de los extremos y, adicionalmente, otro edificio más sirve de acceso a todo el recinto. Los cuatro patios tienen diferentes características y cumplen con una variedad de usos. En contraste con el aspecto masivo de los búnkers, casi todos abiertos puntualmente en sus laterales, los patios están abiertos hacia el cielo, y en sus laterales más angostos producen una fuerte impresión espacial al acceder a los búnkers. Los patios se convierten en claros espacios de transición, al tiempo que generan un acceso nuevo, pues los búnkers nunca tuvieron una entrada identificable.

FICHA TÉCNICA:
Autores: Jean-Pierre Dürig, Philippe Rämi.
Colaboradores: Oliver Krell, Regula Steinmann.
Consultor económico: Christoph Tschannen.
Estructuras: Minkus, Witta, Voss.
Ingeniería: Amstein & Walthert.

Dürig + Rämi

Historical memory and the sculptural potential of the bunker structures were the elements taken most into account when realizing this proposal. We take as a starting-point for the general layout the uninterrupted expansion of the central bunker, closed in on all sides yet unroofed, an unusual space that is striking for its contrast with the enclosed space of the bunkers and also for displaying the power and fragility that coexists throughout the complex. For this reason it is converted into the basic element of the artistic, architectonic and urban scheme. The open courtyard is repeated in the shape of a new building for the end bunkers and, additionally, a further building serves as entrance to the entire area. The four courtyards have different characteristics and comply with a variety of uses. In contrast to the massive look of the bunkers, almost all of them open punctually on their sides, the courtyards are open to the sky, and on their narrower sides produce a strong spatial impression on approaching the bunkers. The courtyards are converted into clear spaces of transition and at the same time generate a new means of access, given that the bunkers never had an identifiable entrance.

TECHNICAL DATA:
Authors: Jean-Pierre Dürig, Philippe Rämi.
Collaborators: Oliver Krell, Regula Steinmann.
Financial consultant: Christoph Tschannen.
Structures: Minkus, Witta, Voss.
Engineering: Amstein & Walthert.

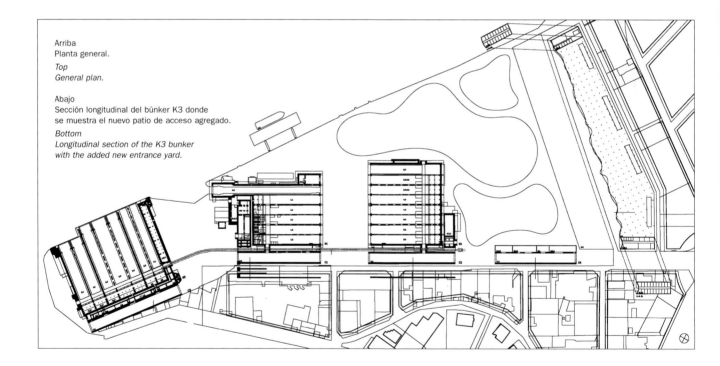

Arriba
Planta general.

Top
General plan.

Abajo
Sección longitudinal del búnker K3 donde se muestra el nuevo patio de acceso agregado.

Bottom
Longitudinal section of the K3 bunker with the added new entrance yard.

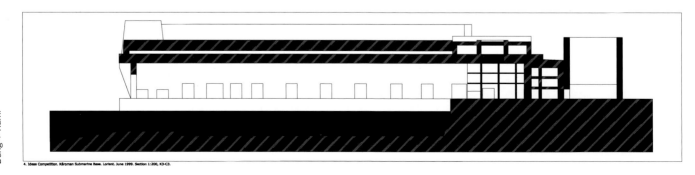

4. Ideas Competition. Kéroman Submarine Base. Lorient. June 1999. Section 1:200, K3-C3.

La idea del proyecto consiste en dos partes de la ciudad, definidas con precisión, que se unen al muelle para formar un marco espacial en el área objeto de concurso. Los búnkers se dejan sin alteración alguna y se completan con tres nuevos patios abiertos al cielo. Dichos patios se han conformado tras la solución dada al búnker K1. La repetición de un elemento preexistente esclarece el nuevo uso de todo el complejo, creando un equilibrio artístico con los búnkers y clarificando la situación del acceso al tiempo que se facilita una línea-guía visual a los visitantes.

The idea of the project: two precisely defined parts of the city join with the quay to form a spatial frame for the competition area. The bunkers are left unaltered and completed by three new yards that open to the sky. The yards are modelled after the solution for bunker K1. The repetition of an existing element elucidates the converted use of the entire complex, creates an artistic counterbalance to the bunkers, clarifies the entrance situation and provides a visual guideline for visitors.

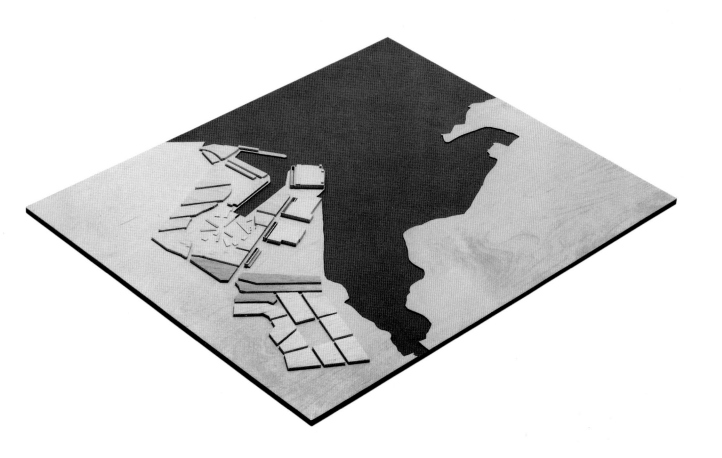

El patio abierto al cielo se repite en cada nuevo edificio para los búnkers de los extremos, y otro patio más sirve de acceso a todo el recinto. Maqueta de cada uno de los distintos patios de acceso.

The open yard is repeated in a new building for the end bunkers, and a further building gives access to the whole enclosure. Model of each of the different entrance yards.

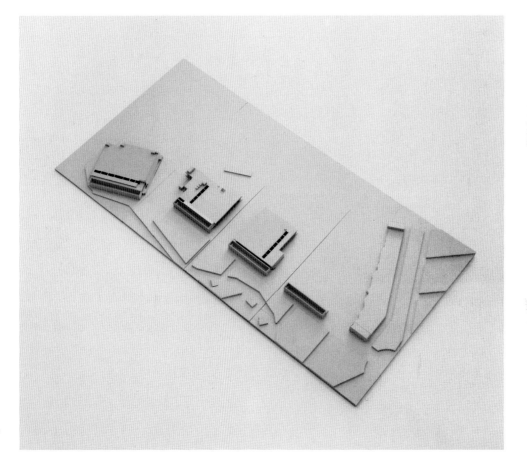

Propuesta para la ordenación del enclave. Nuevos accesos agregados a los búnkers, edificio mixto de hotel y comercios (extremo derecho) y tratamiento del espacio público entre búnkers.

Scheme for developing the enclave. New entrances added to the bunkers, a mixed building of shops and hotel (far right), and treatment of the public space between bunkers.

Gianluca Milesi

Este proyecto propone la integración de la antigua base al entorno de Lorient de un modo físico y conceptual. Se propone el diseño de un nuevo paisaje, entre natural y artificial, sensible a las oscilaciones de la marea y que fusiona parcialmente los búnkers. Una secuencia de dunas y canales conectan el nuevo edificio con los preexistentes, y el mar y las oscilaciones de la marea alteran la configuración de este paisaje. Los volúmenes de formas orgánicas crean un sistema que divide y, al mismo tiempo une, la estructura que conforman los búnkers, envolviéndolos sin modificar su arquitectura, pero alterando la organización de los espacios y las funciones. Conceptualmente, el proyecto hace referencia a formas naturales y orgánicas, referencias que representan un ambiente marino imaginario que toma los ejemplos del entorno biológico. Las dunas representan un patrón inorgánico, mientras que las formas de los volúmenes de conexión están directamente relacionadas con estructuras animales.

Gianluca Milesi

This project proposes the integration of the former base and the surroundings of Lorient in a physical and conceptual way. We propose the designing of a new landscape, half-natural and half-artificial, sensitive to the changing of the tides, and which partially amalgamates the bunkers. A sequence of dunes and canals connects the existing building and constructions to the sea, and the changing of the tides alters the configuration of this landscape. The volumes of organic forms create a system that simultaneously divides and unites the structure the bunkers configure, enveloping them without modifying their architecture, yet altering the organization of both spaces and functions. Conceptually, the scheme is suggested by natural and organic elements, references representing an imaginary marine ambience that takes the biological setting as its reference. The dunes represent an inorganic model, while the forms of the interconnecting volumes are directly related to animal structures.

Gianluca Milesi

45

Jin Taira

Esta propuesta genera una fuerte imagen renovada, potenciada por nuevas infraestructuras de desarrollo sostenible que contribuyan a valorar nuevamente este lugar y lo vincule con la ciudad. De este modo, se pretende dar una señal particular a este entorno que llame la atención, no sólo de visitantes y turistas, sino de posibles inversores que apuesten por este sector privilegiado. El proyecto se organiza en torno a tres intervenciones. En primer término, se propone la integración de los tres galpones excavando a su alrededor, generando un espacio fluido, abierto y continuo: un parque que comienza en el mar y termina en la ciudad de Lorient. En segundo lugar, las cubiertas de los búnkers se proponen como plazas temáticas que articulan la relación entre el turismo y los negocios y, a una mayor escala, entre los habitantes de la ciudad y el mar. En el interior, la estructura básica de los búnkers se mantiene, realizando algunos pequeños cambios con el fin de adaptarlos a los nuevos usos y recorridos. Por último, la ubicación de 231 turbinas de aire en paredes de acero de 90 metros de altura completa el plan de renovación, jugando un papel importante en la definición de una imagen potente de la bahía y la ciudad. Las turbinas producirán una gran cantidad de energía para las industrias situadas en las áreas circundantes y contribuirán también a conformar cada uno de los espacios públicos de este gran parque temático.

FICHA TÉCNICA:
Autores: Jin Taira, Jean-Louis Rivard, Maki Shinohara, Adriana Shima.

Arriba
Los muros de energía jugarán un papel importante en la definición de una fuerte imagen tanto de la ciudad como del puerto.

Top
The energy walls will play an important role in defining a strong image for both the city and the harbor.

Abajo
La idea inicial partía de la creación de unidad, haciendo tan suaves como fuera posible las transiciones entre el parque en pendiente y los alrededores.

Top
The idea is to create unity, to make the transitions between the sloped park and the surroundings as smooth as possible.

Jin Taira

This proposal generates a strong, renewed image, promoted by new infrastructures of sustainable development that help to revalorize this location and to link it with the city. In this way it is hoped to give a particular identity to this setting, one that attracts the attention not just of visitors and tourists, but of potential investors who might opt for this privileged sector. The project is organized around three interventions. Firstly, the integration is proposed of the three hangars by excavating around them, generating a fluid, open and continuous space: a park that begins at the sea and ends in the town of Lorient. Secondly, the roofs of the bunkers are proposed as theme plazas that articulate the relationship between tourism and business and, on a grander scale, between the inhabitants of the town and the sea. Inside, the basic structure of the bunkers is retained, a number of minor changes being made, the aim being to adapt them to new uses and layouts. Lastly, the housing of 231 air turbines in 90-meter-high steel walls completes the renovation plan, playing an important part in the definition of a strong image of the bay and the town. The turbines will produce an enormous amount of energy for the industries situated in the surrounding areas, and will also contribute to defining each of the public spaces of this vast theme park.

TECHNICAL DATA
Authors: Jin Taira, Jean-Louis Rivard, Maki Shinohara, Adriana Shima.

Sobre las cubiertas de los búnkers se instalarán 231 generadores de turbinas de viento en unos muros de estructura metálica de noventa metros de alto.

On the top of the bunker roofs, 231 wind-driven turbine generators will be arranged in 90-meter-high steel-structure walls.

Al enterrar bajo colinas verdes las tres estructuras de hormigón en masa de los búnkers, se ha creado un espacio abierto, fluido y continuo. Un parque comienza al borde del mar, cruza el puerto y acaba en la ciudad de Lorient.

By burying the three massive concrete bunkers beneath green slopes, a fluid and continuous open space has been created. A park begins by the sea, crosses the port and ends in the town of Lorient.

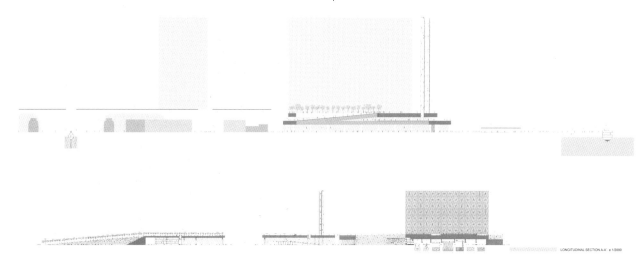

LONGITUDINAL SECTION A-A' e 1/2000

Desde el mar hasta una de las células húmedas, se invitará a los visitantes a iniciar su paseo a lo largo de las pendientes, plazas y atracciones del parque. El helipuerto se ubicará sobre el K1, y servirá tanto para los edificios de investigación de negocios como para la zona turística.

From the sea to one of the humid cells, visitors will be invited to start their tour down the slopes, plazas and park attractions. The heliport will be located on the top of K1, serving both the business-research buildings and the tourist area.

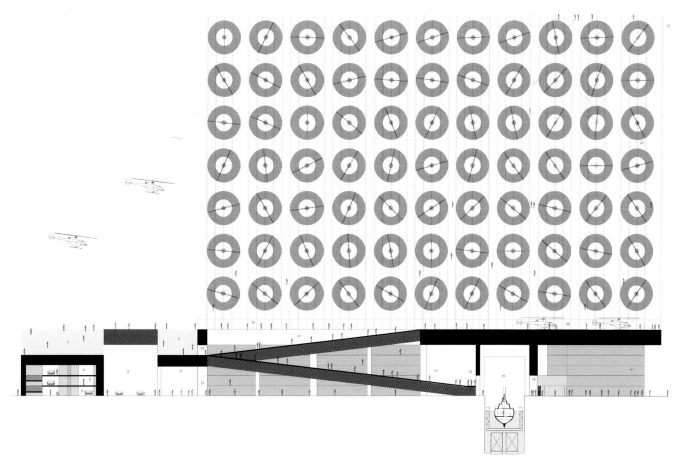

Jin Taira

47

Fuensanta Nieto, Enrique Sobejano

Para la recuperación e integración de la base militar con su entorno urbano y rural, este proyecto plantea tres estrategias relacionadas en un solo proyecto. En la ribera se propone un gran parque natural, un área de esparcimiento vinculado con el mar, que incorpora paseos peatonales de carácter contemplativo. El nuevo parque no pretende imponer un orden ni supeditarse a la nueva ordenación de la base de submarinos. Por el contrario, será concebido como una topografía generada por elementos naturales como pliegues, taludes o masas de vegetación. En segundo término está el parque tecnológico industrial, estrechamente ligado con el tapiz verde que se propone para la ribera. Los edificios se diseminan por la masa verde sin un orden geométrico impositivo, como elementos minerales que sobresalen por entre la vegetación. Por último, se plantea un puerto pesquero como puente entre el paisaje natural del parque de la ribera y el entorno urbano de Lorient. Se establece una trama ortogonal y se definen viales perpendiculares que definen usos industriales y terciarios del puerto.

La idea arquitectónica de este proyecto propone que la impresionante presencia de la base se relacione de igual a igual con la ciudad mediante la construcción de una serie de estructuras metálicas que abrazarán los búnkers. Cada una de ellas tenderá un puente entre el nivel del suelo y el de la cubierta. Estos elementos actúan como grandes periscopios que introducen luz en el interior con un sistema de espejos móviles que, a su vez, permiten la visión hacia el exterior, como sucede en los submarinos que durante años los ocuparon. En sus cambiantes fachadas mediáticas reflejarán los nuevos usos del complejo programa previsto y albergarán, bajo su cubierta, los edificios administrativos que gestionarán el nuevo centro, así como los sistemas circulatorios de vehículos y personas hacia las cubiertas de los búnkers.

Fuensanta Nieto, Enrique Sobejano

For the recouping and integration of the military base with its urban and rural surroundings, this project proposes three related strategies in a single scheme. On the banks of the River Ter we propose a large natural park, a recreation area linked to the sea that incorporates pedestrian walkways of a contemplative kind. The new park does not set out to impose an order or to render the new layout of the submarine base subordinate to it. On the contrary, it will be conceived as a topography generated by such natural elements as folds, slopes or masses of vegetation. In the second place, an industrial technopark directly connected to the green belt is proposed for the riverbank. The buildings are disseminated on the green expanse in no imposed geometrical order, as mineral elements that protrude from among the vegetation. Lastly, a fishing port is planned as a bridge between the natural landscape of the riverside park and the urban surroundings of Lorient. An orthogonal connection is established and roadways perpendicular to it are designated which define the industrial and tertiary uses of the port.

The architectonic idea of this project is that the marked presence of the base is related on a par with the town by means of the construction of a series of metal structures which embrace the bunkers. Each of these will have a bridge between the ground and the roof levels. These elements act as huge periscopes that bring light into the interior via a system of moveable mirrors. These in turn provide a view of the exterior, as occurs in the submarines that for years occupied the bunkers. On their changing media facades they will reflect the new uses of the complex program foreseen and house, beneath their roof, the administration buildings that manage the new center, as well as the circulatory systems of vehicles and people ascending to the roofing of the bunkers.

FICHA TÉCNICA:
Autores: Fuensanta Nieto, Enrique Sobejano.
Colaboradores: Carlos Ballesteros, Mauro Herrero, Antonio Iglesias, Pedro Quero, Juan Carlos Redondo.
Consultores de ingeniería: Ove Arup & Partners.

TECHNICAL DATA:
Authors: Fuensanta Nieto, Enrique Sobejano.
Collaborators: Carlos Ballesteros, Mauro Herrero, Antonio Iglesias, Pedro Quero, Juan Carlos Redondo.
Engineering consultants: Ove Arup & Partners.

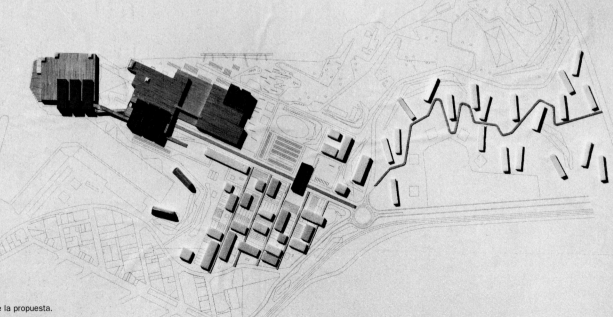

Planta general de la propuesta.
General plan of the scheme.

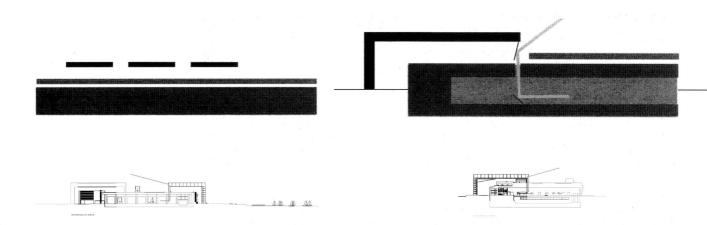

Grandes estructuras metálicas abrazan los búnkers existentes. Estos grandes elementos introducen luz en el interior, permiten la visión hacia el exterior y, a su vez, actúan como cambiantes fachadas mediáticas.

Vast metal structures embrace the existing bunkers. These huge elements provide for light on the inside, facilitate the view outside, and also act as changing media facades.

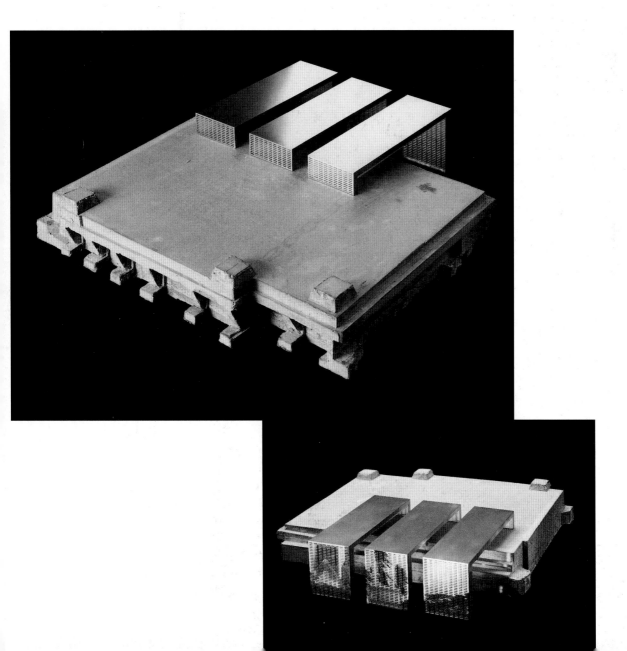

Atlantik Wall, Jutland, Dinamarca

En las playas del mar del Norte danés, lugar de viejas batallas que conserva los viejos búnkers utilizados en la II Guerra Mundial; entre las ruinas de lo que la fuerza del oleaje ha permitido conservar, proyecciones de láser forman frases que nos hablan de encuentros y desencuentros ocurridos en aquel lugar. Se trata de presentar lo existente sin más manipulación que la mella que pueda hacer la palabra; pero la palabra no basta por sí sola, ya que requiere del escenario. En su interacción se produce la obra. De nuevo, la fotografía documenta procesos más globales. Una vez recogidos los documentos, la obra se desarrolla en otro tiempo y lugar. La oposición de contrarios, la palabra contra la barbarie, pero actuando en planos divergentes, se producirá de nuevo otra obra allá donde entren en contacto.

Una serie de frases proyectadas nos hablan de lo ocurrido y de lo que está por ocurrir. La playa y su valor de memoria como escenario de la palabra.

FICHA TÉCNICA:
Autor: Magdalena Jetelová.
Situación: Mar del Norte, Dinamarca.
Fecha: 1994-1995.

Atlantic Wall, Jutland, Denmark

On the North Sea beaches of Denmark, a site of former battles that retains the old bunkers used in the Second World War, between the ruins the force of the tides has left standing, laser projections form phrases that tell us of local encounters and disencounters. This entails presenting existing features with no further manipulation than the dent the word can make; but the word is not enough per se, since it needs the setting. In their interaction the work is produced. Again, photography documents more global processes. Once the documents are collated, the work unfolds in another time and place. The opposition of contraries, the word contra barbarism, though acting on divergent planes, will again produce another work precisely where they enter into contact.

A series of projected phrases tell us of what occurred and of what is to occur. The beach and its commemorative value as a setting for the word.

TECHNICAL DATA:
Author: Magdalena Jetelová.
Location: North Sea, Denmark.
Date: 1994-1995.

Florian Beigel, Architecture Research Unit (Londres)

Lichterfelde Süd, Berlín, Alemania

Los terrenos de una antigua base de entrenamiento militar americana en el sur de Berlín fueron el escenario para convocar un concurso cuya finalidad era insertar este nuevo territorio en el paisaje urbano. El proyecto debía regenerar 115 hectáreas en una zona periférica de la ciudad y proveer alrededor de unas 320 nuevas viviendas en un entorno fragmentado, definido por estructuras posindustriales o antiguas zonas militares. El lugar podría describirse como fragmento de un urbanismo infraestructural en proceso que alojará un impredecible catálogo de arquitectura.

El punto de partida de esta investigación, dentro de esta situación de cambio y diversidad en la ciudad y el paisaje, es el diseño de un paisaje infraestructural concebido como catalizador del desarrollo arquitectónico. Lo que se entiende como un marco donde cada expresión arquitectónica pueda tener cabida al mismo tiempo generando las condiciones para el disfrute de esa diversidad. Esta infraestructura se desarrolla a partir de una lectura selectiva de la historia del paisaje del lugar compuesto por cuatro capas. Primero un paisaje geológico, la componente horizontal, formado por la sedimentación marina; luego un patrón que proviene de los cultivos agrícolas del siglo XVIII y su transformación en extensas granjas cooperativas creadas durante la República Democrática; en tercer lugar, el escenario militar, con sus topografías artificiales, marca una tensión este-oeste con sus barreras de defensa y, por último, la formación de un paisaje salvaje, formado por sí mismo, que genere una nueva diversidad ecológica.

Las infraestructuras de paisaje que se proponen consisten, en esencia, en la organización del territorio por medio de campos y barreras similares a las estructuras agrícolas. Estos campos se trazan en el lugar como respuesta a una lectura histórica de la zona, como si se tratara de alfombras de paisaje. En el futuro, estas alfombras generarán una variedad de arquitectura, convirtiendo las porciones de paisaje en "campos de edificios" que, a su vez, van a rodear una reserva de paisaje salvaje, preservado en el interior.

La huella que la historia ha dejado en el territorio ha sido la característica fundamental que el proyecto ha querido exponer y desarrollar para el futuro de este lugar. En estas huellas están las sustancias y los valores que una comunidad puede compartir y, así, formar una trama coherente en un paisaje caótico y diverso de nuestro tiempo.

FICHA TÉCNICA:
Autores:
Concurso, fase 1: Architecture Research Unit, University of North of London, Londres: Florian Beigel, Eva Benito, Philip Christou, Tomeu Esteva, Mehrnoosh Khadivi, Marta Bayona Mas, Adrienne du Mesnil, Alberto Sánchez; ARUP Environmental, Londres; David Ellis, arquitecto paisajista; Dermot Scanlon, planificación de tráfico.
Concurso, fase 2: Architecture Research Unit, University of North of London, Londres: Peter Beard, Florian Beigel, Philip Christou, Matthias Härtel, Sven Katzke, Mareike Lamm, Marta Bayona Mas, Rafael Belaguer Montaner, Mariana Plana Ponte; ARUP Environmental, Londres; Richard Bickers, hidrólogo; Ahmed Bouariche, planificación de tráfico; David Ellis, arquitecto paisajista; Dermot Scanlon, planificación de tráfico; Lorna Walker, ingeniero medioambiental y director de Ove Arup & Partners.
Proyecto tras concurso: Peter Beard, Florian Beigel, Philip Christou, Ulrike Bräuer, Kord Büning-Pfaue, Mareike Lamm, Daniel Mallo Martínez, Sandra Topfer.
Emplazamiento: Berlín, Alemania.
Concurso: 1998.

Fotografía tomada en enero de 1998. Bosques de abedules han colonizado el área desde que los militares estadounidenses abandonaran la zona a finales de la década de 1980. Los límites de tales bosques se ven desde lejos y, generalmente, tienen la misma dirección este-oeste que los edificios propuestos.

Photo taken in January 1998. Birch woods have colonized the area since the US Army abandoned it at the end of the 1980s. The edges of such woods are visible from a distance and generally have the same east-west orientation as the proposed buildings.

Lichterfelde Süd, Berlin, Germany

Florian Beigel, Architecture Research Unit (London)

The land of a former American military training base in the south of Berlin was the setting for convoking a competition, the goal of which was to insert this new territory into the urban landscape. The project was to regenerate 115 hectares in an outlying area of the city and to provide some 320 new dwellings in a fragmented environment defined by post-industrial structures and former military zones. The location could be described as a fragment of an ongoing infrastructural urbanism that will accommodate an unpredictable catalogue of architecture.

The starting point of this investigation, within this situation of change and diversity in both city and landscape, is the designing of an infrastructural landscape conceived as a catalyst to architectonic development. This is understood as a framework in which each architectonic expression can find a place, at the same time as generating the conditions for enjoyment of that diversity. This infrastructure is developed out of a selective reading of the history of the landscape of a location made up four layers. Firstly, a geological landscape, the horizontal component, formed by marine sedimentation; next, a pattern that comes from the agricultural crops of the 18th century and their transformation into extensive cooperative farms created during the Democratic Republic; in the third instance, the military setting, and its artificial topographies, creates an east-west tension with its barriers of defense; and lastly, the formation of a wild landscape, formed by and of itself, which generates a new ecological diversity.

In essence, the landscape infrastructures being proposed consist of the organization of the territory by means of fields and barriers similar to the agricultural structures. The fields are marked out on the location in response to an historical reading of the area, as if they were carpets of landscape. In the future, these carpets will generate a variety of architecture, converting portions of the landscape into "fields of buildings" which will in turn surround a wild landscape reserve preserved within.

The trace history has left on the territory has been the basic characteristic the project has sought to expose and develop for the future of this location. In these traces reside the essences and values that a community can share and in this way fashion a coherent pattern in a chaotic and diverse landscape of our time.

TECHNICAL DATA:
Authors:
Competition, phase 1: Architecture Research Unit, University of North London: Florian Beigel, Eva Benito, Philip Christou, Tomeu Esteva, Mehrnoosh Khadivi, Marta Bayona Mas, Adrienne du Mesnil, Alberto Sánchez; ARUP Environmental, London; David Ellis, landscape architect; Dermot Scanlon, traffic planning.
Competition, phase 2: Architecture Research Unit, University of North London: Peter Beard, Florian Beigel, Philip Christou, Matthias Härtel, Sven Katzke, Mareike Lamm, Marta Bayona Mas, Rafael Belaguer Montaner, Mariana Plana Ponte; ARUP Environmental, London; Richard Bickers, hydrologist; Ahmed Bouariche, traffic planning; David Ellis, landscape architect; Dermot Scanlon, traffic planning; Lorna Walker, environmental engineer and director of Ove Arup & Partners.
Post-competition project: Peter Beard, Florian Beigel, Philip Christou, Ulrike Bräuer, Kord Büning-Pfaue, Mareike Lamm, Daniel Mallo Martínez, Sandra Topfer.
Location: Berlin, Germany.
Competition: 1998.

Fotografía tomada en marzo de 1998 desde el extremo este de la carretera de hormigón "americana" y mirando hacia el noroeste, a través de los grandes pastizales abiertos y ecológicos.

Photo taken in March 1998 from the far eastern end of the concrete "American" road, looking northwest across the extensive ecological pasture land.

Arriba
Maqueta de concurso (vista hacia el norte). Se
puede observar, al fondo, la gran pradera en el
centro del emplazamiento. En dirección este-oeste
corren unas largas filas de álamos que son las
infraestructuras más visibles en el paisaje.

Top
*Competition model (vista towards the north). The
large meadow in the center of the site can be seen
in the background. Long lines of poplars running
east-west are the most visible landscape
infrastructures.*

Arriba derecha
Maqueta del concurso (vista hacia el sur). La gran
pradera central está limitada en su extremo norte
por la "carretera de la salud", carretera parcialmente excavada que dispone de pequeños puentes a modo de embarcaderos para que los vian-
dantes y ciclistas pudieran cruzar los pastizales.
La "carretera americana" sigue su antiguo curso
extendiéndose en largos tramos y suaves curvas.

Top, right
*Competition model (vista towards the south).
The large central meadow is bounded on its
northern edge by the "road to salvation",
a partially excavated road that has small jetty-like
bridges to enable travellers and cyclists to cross
the pasture land. The "American road" follows its
old course, unfurling in long straight stretches and
gentle curves.*

Planta-*collage* que indica una ampliación del
campo mediante desarrollos parciales del lugar.
Algunos terrenos y linderos de los campos han
creado una nueva estructura, y algunos de dichos
campos albergan nuevos edificios.

*Collage plan indicating an extending of the field by
means of partial developing of the site. Various
plots of land and field boundaries have acquired a
new structure, and some of these fields have new
buildings on them.*

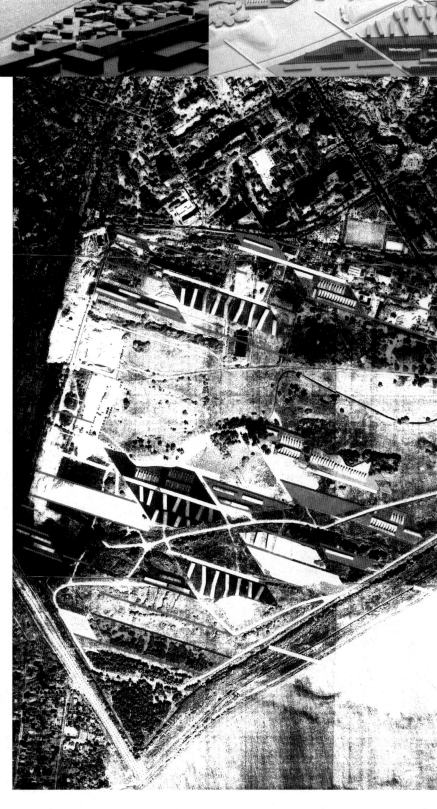

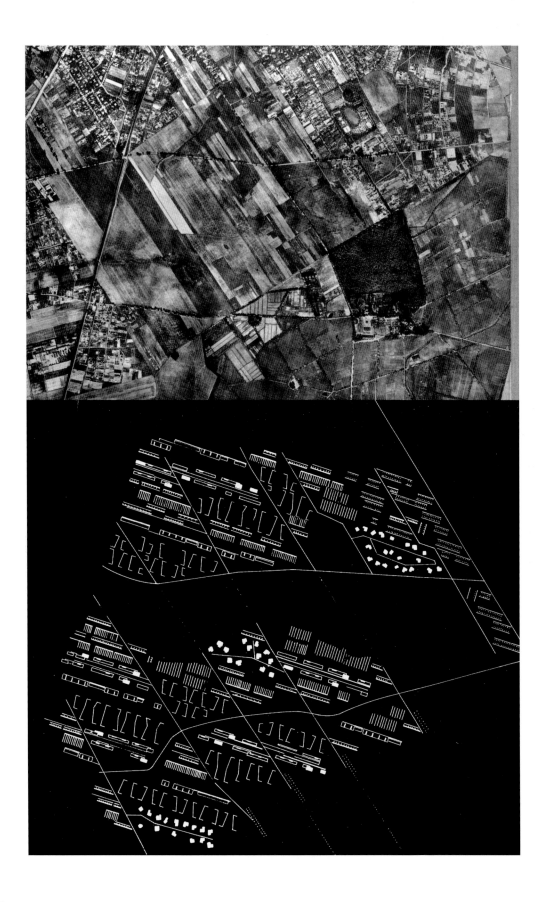

Fotografía aérea del lugar (1928)
donde se muestra la partición de
las propiedades agrícolas que han
conformado las vías.

Aerial photograph of the location
(1928), showing the partition of
the farming properties which
generated the roads.

Cuando fuimos invitados al concurso de un "planeamiento negro"
(un planeamiento figura-fondo de
edificios) produjimos este dibujo
de concepto basado en una gran
variedad de arquitecturas dibuja
das sobre el lugar, como notas en
un pentagrama.

When asked in the competition
brief for a "Black Plan"
(a figure/ground plan of the
buildings) we produced this
concept drawing based on a wide
variety of architectures written
down on the site like notes on
a musical staff.

Lichterfelde Süd, Berlin, Germany

59

Gabión.
Gabion.

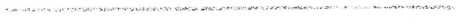

Hondonada.
Swale.

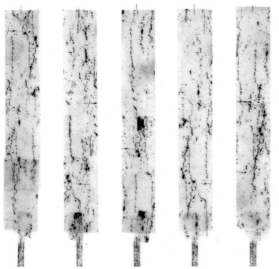

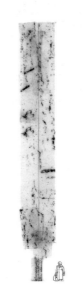

Se han utilizado tres tipos de infraestructuras de paisaje como límites espaciales de los campos. La propuesta consiste en construir primero las infraestructuras del paisaje para más tarde poder construir los edificios.

Three types of landscape infrastructures have been used as spatial boundaries to the fields. The proposal is to build the landscape infrastructures first and the buildings afterwards.

Álamos.
Poplars.

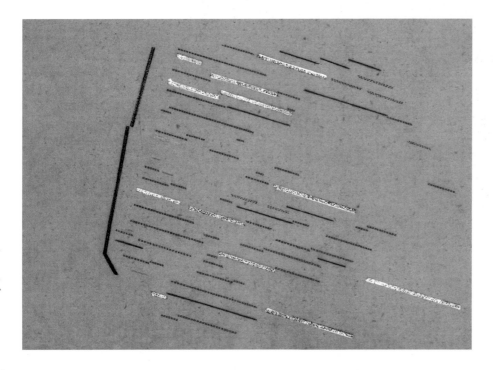

Planta donde se muestran los tres tipos de límites de los campos atendiendo a las condiciones locales.

Plan showing the three types of field boundaries relating to local conditions.

1- Hileras de álamos altos (bandas texturadas).
   Rows of tall poplars (textured bands).
2- Muros bajos de gabiones (líneas gruesas).
   Low gabion walls (thick lines).
3- Cunetas lineales u hondonadas
   (doble línea discontinua).
   *Linear ditches or swales
   (double dotted lines).*

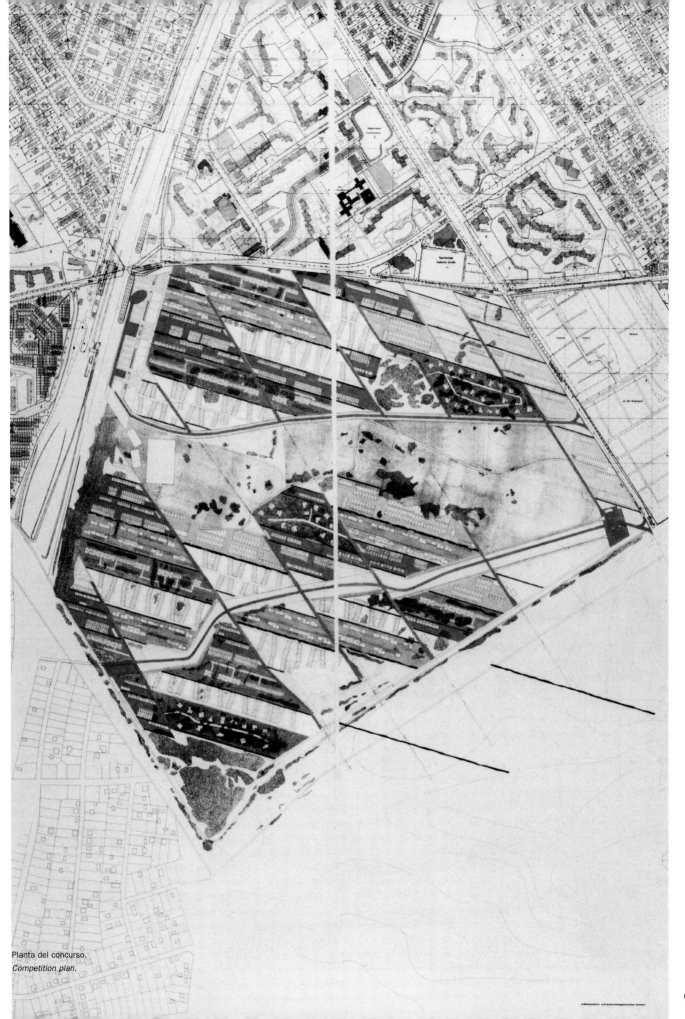

Planta del concurso.
Competition plan.

Lichterfelde Süd, Berlin, Germany

Stefan Tischer+Susanne Burger / Philipp Oswalt / Stefanie Brauer

Antiguo campo de concentración femenino en Ravensbrück, Alemania

Ravensbrück fue el mayor campo de concentración dentro del territorio del III Reich alemán. Entre 1939 y 1945 fueron encarcelados en él alrededor de 132.000 mujeres y 20.000 hombres. En abril de 1945, el Ejército Rojo liberó el campo de concentración femenino. Tras la liberación, el ejército soviético ocupó las instalaciones y las utilizó para fines militares. Los soviéticos transformaron la topografía y el trazado del campo, de modo que, en muchas zonas, ya no se puede reconocer la estructura del campo. La mayoría de las construcciones, incluyendo todos los barracones de los prisioneros, fueron desmantelados o derribados después de 1945. En la actualidad, las señales más reconocibles de la época nazi son el emplazamiento de la SS, la oficina de comandante, la prisión, el crematorio y diversas áreas de trabajo.

La ciudad de Fünsterberg, en colaboración con la Fundación del Memorial de Ravensbrück, anunciaron la convocatoria de un concurso internacional de paisajismo, con el fin de establecer unas ideas generales que permitan el desarrollo de las más de 175 hectáreas de terreno del campo.

Volverá a ser legible la "topografía del terror" del período nazi. Se excavarán los restos existentes y se localizarán aquellos que ya no existen, aunque sin reconstruirlos. El proyecto preserva la autenticidad del lugar y establece las zonas en las que estarán localizados los recordatorios de lo que fue el campo de concentración. Se eliminarán las construcciones del período soviético siempre que entorpezcan el proceso encaminado a la recuperación de la memoria del período nazi, aunque se mantendrán señales del período soviético en todas las zonas para ilustrar los diferentes estratos temporales del lugar.

Las tres zonas del campo, "el campo principal con su almacén industrial", "el campo juvenil de custodia preventiva", que incluye el "campo de exterminio" construido posteriormente, y el "campo Siemens", constituyen el área central del memorial. Estarán diferenciados espacialmente y a cada uno se le otorgará una forma propia de acuerdo a sus diferentes funciones durante el período nacionalsocialista. Este memorial será como un proceso abierto de recuerdo, investigación y adecuación del lugar, y este proceso estará representado de modo que pueda ser experimentado por medio de los sentidos.

Del campo principal sólo han permanecido el taller de confección y parte de la vegetación original. La "topografía del terror" es apenas reconocible; por ello, la idea principal de este proyecto es eliminar las construcciones de la época soviética, ruinosas y molestas, y la vegetación que ha crecido con posterioridad a 1945, para después excavar hasta encontrar los cimientos de los antiguos barracones. El proceso de excavación hará posible, con el tiempo, la localización del trazado del campo, ya que las excavaciones dejarán a la vista el "negativo" de la huella de las construcciones, incluso cuando no se puedan encontrar restos de los cimientos. No se reconstruirá con nuevas estructuras la planta del campo ya desdibujada, sino que será la propia búsqueda de los restos la que sacará a la luz el contorno del antiguo trazado.

El proceso se desarrollará durante un período de tiempo de más de diez años y se visualizará mediante un túmulo de cenizas vertido sobre la zona en la que se encontraba amontonado el carbón. La cantidad de ceniza será suficiente para cubrir toda la superficie del campo principal. Tras completar las excavaciones en áreas individuales, el terreno, con excepción de los restos de los cimientos que se hayan descubierto, se cubrirá de ceniza negra. Durante el proceso de excavación, el túmulo de cenizas irá decreciendo paulatinamente hasta que, al completarse el trabajo, desaparezca por completo. El túmulo de cenizas que va decreciendo expresa el proceso interminable de la memoria.

Dado que cualquier rastro visual del antiguo campo juvenil ha desaparecido por completo, se plantea aquí una forma de memorial diferente. En su frágil y temporal belleza, un prado lleno de flores recuerda el destino de las víctimas e indica, al mismo tiempo, la extensión espacial del campo. La reforestación de los campos en barbecho del entorno hará perceptible el contorno del campo, así como su extensión espacial. Se eliminarán el pavimento plano de hormigón y las construcciones levantadas por el Ejército Rojo, pero el contorno alterado del terreno se mantendrá como recuerdo de la época soviética. Se eximirá al emplazamiento del campo de exterminio, donde se llevarán a cabo excavaciones posteriores para localizar los cimientos y otros restos del período nazi, visibles desde un camino.

En el emplazamiento del campo Siemens aún pueden verse claramente estructuras importantes, tales como los cimientos de los barracones de trabajo y los senderos. Se delimitará espacialmente el campo mediante un cercado de madera. Se asegurarán los cimientos de los barracones del campo Siemens y se eliminará la vegetación, conservándose las estructuras del período soviético.

FICHA TÉCNICA:
Autores: Stephan Tischer + Susanne Burger, arquitectos paisajistas; Philipp Oswalt, arquitecto; Stefanie Brauer, historiadora.
Colaboradores en el concurso: Achim Bode, Christian Henke, Clemens Lutz, Stefan Renner, Ines U. Rudolph.
Dirección del proyecto: Maria Ippolita Nicoreta, arquitecta.
Proyecto: Maria Luisa Rossi, Jörg Coqui.
Cliente: Land de Branderburgo, a través de la Sonderbauleitung Neuruppin.
Emplazamiento: Memorial Ravensbrück, Fünsterberg, Alemania.
Concurso: 1998.
Construcción: 1999-2010.

Antiguo campo de concentración Siemens.
Former Siemens concentration camp.

Vista aérea de la maqueta de concurso.
Aerial view of the competition model.

Stefan Tischer+Susanne Burger/ Philipp Oswalt / Stefanie Brauer

Former Women's Concentration Camp in Ravensbrück, Germany

Ravensbrück was the largest women's concentration camp within the territory of the German Reich. Between 1939 and 1945, an estimated 132,000 women and 20,000 men were imprisoned here. In April of 1945 the Red Army liberated the women's concentration camp. After the liberation, the Soviet army occupied the site and used it for military purposes. They transformed the topography and layout of the grounds, so that the camp structure can in many areas no longer be recognized. Most concentration camp buildings, including all prisoners' barracks, were taken apart or torn down after 1945. The most recognizable traces from the NS period today are the SS-settlement, commandant's headquarters, prison, crematorium, and several work areas.

The city of Fürstenberg, in collaboration with the Ravensbrück Memorial, announced an international landscape design competition, in order to find a concept for the development of the more than 350-acre camp ground plot.

The Nazi period's "topography of terror" will once again become legible. In this project, remains are to be excavated and no longer existing elements to be traced without being reconstructed. The project preserves the authenticity of this site and marks areas at which remembrances of the concentration camp can be located. Buildings from the period of Soviet utilization are to be removed when they disturb the process of remembrance of the Nazi period. Nevertheless, traces from the Soviet period are to be retained in all areas in order to illustrate the different temporal layers of this site.

The three camp areas, the "main camp with industrial yard", the "youth protective custody camp", including the "extermination camp", which was constructed later, and the "Siemens camp" form the central area of the memorial. They will be spatially differentiated, and each will be given an individual form according to their different functions during the National Socialist period. The memorial is to be created as an open process of remembrance, investigation and appropriation of this place. This process is to be portrayed in a way that can be experienced through the senses.

In the main camp, only the clothing plant and parts of the original vegetation have remained. The "topography of terror" is barely recognizable. For this reason, the main idea of this project is to remove dilapidated and obtrusive buildings from the Soviet period and vegetation grown after 1945 and then to dig for barrack foundations. The excavation process will in the course of time trace the camp's ground plan, since the excavations will leave a negative print of the building's footprint, even when no remains of foundations can be discovered. The camp's ground plan, which has been erased, will not be reconstructed through built structures. Instead, the search for traces will outline the former plan of the camp.

The development process will be spread over a time period of more than ten years. It will be visualized by a cinder mound, which is to be poured onto the area where the coal heap used to be. The amount of cinder will be sufficient to cover the entire surface of the main camp. After completion of excavations in the individual areas, the ground surface, with the exception of discovered foundation remains, will be covered with black cinders. During the process of excavation, the cinder mound will grow progressively smaller, until it has, at the completion of excavation work, entirely disappeared. The shrinking cinder mound expresses the never-ending process of remembrance.

Since the visual traces of the former youth camp have been fully erased, a different form of memorial is planned here. In its fragile and temporary beauty, a field of flowers respectfully memorializes the fate of the victims and at the same time indicates the spatial extension of the camp.

Reforestation of the surrounding fallow fields will make the outline of the camp and its spatial extension perceptible. The flat concrete pavement and constructions built by the Red Army are to be removed, but the altered contour of the ground surface is to remain as a reminder of the Soviet period. The site of the extermination camp is to be exempted. Here, further excavations for foundations and remains from the NS period are to take place. They will be visible from a walkway.

At the location of the Siemens camp, important structures such as the foundations of the work barracks and paths are still easily legible. The camp is to be spatially marked through a wooded border. The foundations of the Siemens barracks are to be secured and freed of vegetation and structures from the time of Soviet use are to be preserved.

Antigua torre de vigilancia.
Former watchtower.

Maqueta del concurso.
Competition model.

TECHNICAL DATA:
Authors: Stephan Tischer+Susanne Burger, landscape architects; Philipp Oswalt, architect; Stefanie Brauer, M.A. historian.
Competition collaborators: Achim Bode, Christian Henke, Clemens Lutz, Stefan Renner, Ines U. Rudolph.
Project direction: Maria Ippolita Nicotera, architect.
Project: Maria luisa Rossi, Jörg Coqui.
Client: Land Brandenburg through the Sonderbauleitung Neuruppin.
Site: Memorial Ravensbrück, Fürstenberg, Germany.
Competition: 1998.
Project execution: 1999-2010.

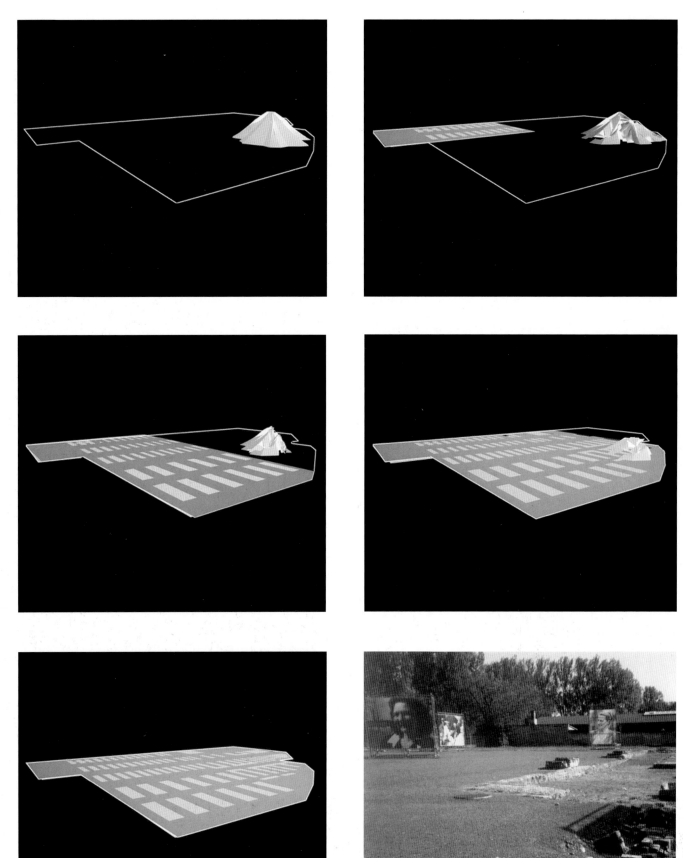

Página anterior
Fases del proyecto, su evolución
en el tiempo y estado actual.

Previous page
Phases of the project, its develop-
ment over time and current state.

Visión general del antiguo campo de concentración.
Propuesta para el recuerdo de las estructuras demolidas.
Estado actual.
Trabajos de demolición.

General view of the former concentration camp.
Scheme for recalling the demolished structures.
Current state.
Demolition works.

Gustav Lange

Mauerpark, Berlín, Alemania

En los grandes pórticos de Mauerpark una chica cruza el delicado límite que antes dividía Berlín Este del Oeste.

Under the huge Mauerpark porticos, a girl crosses the thin boundary that used to divide East and West Berlin.

Ocupar un terreno en una zona urbana que durante, casi treinta años, fue inaccesible al público por las prohibiciones de un poder autoritario, es una operación poco usual. Se trata de un área formada entre dos sistemas políticos, las dos Alemanias posteriores a la II Guerra Mundial. Tras la caída del muro de Berlín se han producido vastas operaciones urbanas tendentes a reunificar la capital y recuperar muchas zonas deterioradas y en desuso. Este proyecto, que se levanta justamente en el espacio que ocupaba la división entre las dos zonas de Berlín de la posguerra, utiliza como tema recurrente el "espacio frontera bordeando espacio libre".

La extensión del parque permite alejarse de la presión de la ciudad que lo rodea pero, al mismo tiempo, estar cerca de su memoria. El proyecto se estructura mediante figuras geométricas encadenadas unas con otras en medio del espacio abierto, como si se tratara de huellas que el tiempo dejó

To occupy a stretch of land in an urban zone that for almost thirty years has been inaccessible to the public due to the restraints imposed by an authoritarian power is not very common as an operation. The area in question is one formed between two political systems, the two post-WW2 Germanys. Following the fall of the Berlin Wall vast urban interventions have occurred, interventions tending to reunify the capital and to recoup many deteriorated and disused zones. Erected on the very space that the division between the two areas of postwar Berlin occupied, this scheme uses as a recurring motif "frontier space flanking open space".

The extent of the park enables it to be at a remove from the pressure of the surrounding city, yet simultaneously close to its memory. The project is structured by interconnected geometric figures set out in open space, as if they were

ich komm gerade aus dem Sommer
der Kollwitzplatz war mir lieb   ich geh schon abends weg
langhaarige Zecken
mir ist egal, was die andern von mir denken

66

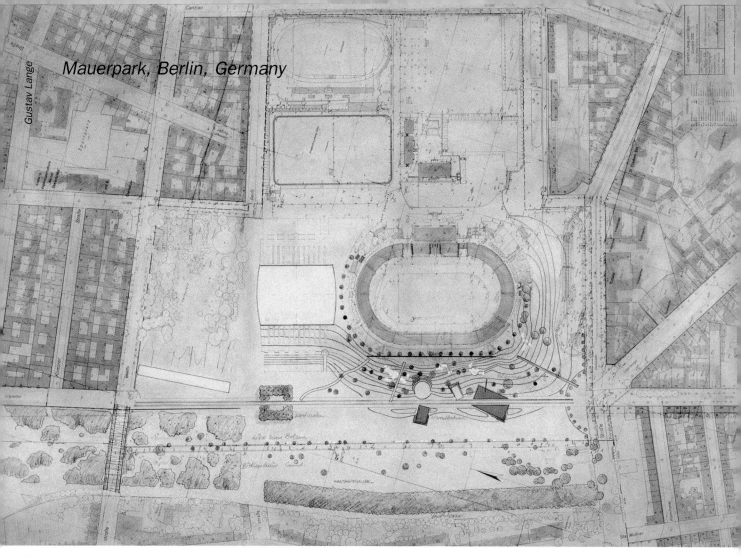

Mauerpark, Berlin, Germany

Gustav Lange

Planta general.
General plan.

sobre el territorio. La libertad se enfatiza con la idea de un cielo abierto que se observa desde cualquier rincón, con un estanque que hace las veces de espejo, acercándolo a tierra. La parte norte, azotada por los vientos, se conforma por una colección de rocas como marco para un bosque de fresnos que protegen el lugar, mientras que, por la parte sur, resalta la plantación de árboles florales como manzanos o rosales.

Las rutas peatonales imprimen una secuencia temporal. Cada elemento, construido o plantado, necesita su momento y su espacio para fusionarse con el todo. Así mismo, ciertos elementos, como el columpio que se balancea en el antiguo emplazamiento del muro, juega con una línea divisoria que durante tanto tiempo fue infranqueable.

imprints that time has left on the territory. Freedom is emphasized by the idea of an open sky observed from any bit of ground with a pool, the latter serving as a mirror and reducing the distance between sky and earth. Lashed by winds, the north area is defined by a collection of rocks framing a wood of ash trees which protect the location, while in the south area a plantation of flowering plants such as apple trees and rose bushes is prominent. The pedestrian routes imprint a temporal sequence. Each element, constructed or planted, needs its time and its space in order to fuse with the whole. Similarly, elements like the swing moving to and fro on the former site of the wall play with a dividing line that was impassable for so long.

Vista parcial del parque con el muro al fondo.
Partial view of the park with the wall in the background.

Preexistencias.
Pre-existing elements.

FICHA TÉCNICA:
Autor: Gustav Lange.
Arquitectos del "Max-Schmeling-Halle": Joppien & Dietz.
Equipo de proyecto: Grün Berlin GmbH.
Construcción: 1993-1994.
Emplazamiento: Berlín, Alemania.
Presupuesto: 15 millones de marcos alemanes.
Superficie: 130.000 m².
Fotografías: Sybille Bergemann, Gustav Lange.

TECHNICAL DATA:
Author: Gustav Lange.
Architects of the "Max-Schmeling-Halle": Joppien & Dietz.
Project team: Grün Berlin GmbH.
Construction: 1993-1994.
Site: Berlin, Germany.
Budget: 15M German Marks.
Surface area: 130,000 m².
Photos: Sybille Bergemann, Gustav Lange.

Mauerpark, Berlín, Alemania

no doubt find ich so stark "du erinnerst mich an eine Freundin

wichtig sind Freunde

wichtig ist mir, Aufmerksamkeit zu Kriegen

Mauerpark, Berlin, Germany

Base de misiles, Fundación Isla Hombroich, Alemania

En el suroeste del Ruhr, en el paisaje intensamente urbanizado que se halla entre Düsseldorf, Neuss y Colonia, se encuentra una antigua base de la OTAN. Baluarte de la guerra fría, la base se está convirtiendo en un lugar destinado al arte y a la investigación científica.

Los diferentes edificios que formaban la base de misiles Hombroich se adaptaron de acuerdo con el uso al que estaban destinados y se revistieron de planchas de acero para aislarlos. Donde antes estaban las troneras de los puestos de tiro en los búnkers, ahora hay puertas y ventanas con vistas abiertas al paisaje. Con sus grandes frentes de vidrio que presentan un aspecto desafiante, los tres grandes hangares se utilizan como estudios y para realizar otras actividades culturales. Las severas mallas de las ventanas dividen la vista y crean planos pictóricos a ambos lados.

El carácter actual de la arquitectura está dominado por una geometría que continúa en el paisaje del lugar. Los terraplenes estructuran la visión mediante líneas horizontales que se proyectan en el paisaje del Bajo Rin.

Las catorce hectáreas de la zona protegida eran originalmente tierras de cultivo, sin árboles ni arbustos y carentes de agua. Después de una investigación detallada se restauró la antigua vega dando como resultado un paisaje con una yuxtaposición de praderas, canales y áreas húmedas. El crecimiento de la vegetación puede parecer excesivo pero es un proceso que no se quiere restringir, sino, por el contrario, permitir que se desarrolle con gran libertad.

Se han proyectado edificios y esculturas al aire libre para ubicarse en la base de misiles y en los campos y praderas de los alrededores; los proyectos han sido encargados a artistas y arquitectos como Raimund Abraham, Tadao Ando, Álvaro Siza, Claudio Silvestrin, Eduardo Chillida, Erwin Heerich, Oliver Kruise, Katsuhito Nishikawa y Heinz Baumüller.

El salón de actos de la base de misiles acoge forums para músicos, talleres para jóvenes compositores y talleres literarios, mientras que en el Laboratorio Internacional de Biofísica, diversos seminarios y la biblioteca están ubicados en cuatro edificios construidos por el escultor Erwin Heerich.

La isla reúne a todo tipo de personas, en especial artistas y científicos, que comienzan su labor en la antigua base y más tarde desarrollan sus obras en la Fundación Isla Hombroich.

El desarrollo artístico demuestra que no es deseable basar el funcionamiento de la base de un solo medio expresivo, sino que todo aquello que proviene de la creatividad debe encontrar su lugar en el museo. Como una especie de proyecto piloto, la base representa parte de un proyecto que quiere mostrar que el arte como proceso es, en ocasiones, más interesante que el resultado final.

FICHA TÉCNICA:
Emplazamiento: Neuss, Alemania.
Cliente : Fundación Hombroich.
Autores: Raimund Abraham, Tadao Ando, Erwin Heerich, Heinz Baumüller, Eduardo Chillida, Oliver Kruise, Claudio Silvestrin, Álvaro Siza.
Fecha: comienzos de 1994.

station Hombroich

Plataforma de lanzamiento de la base de misiles.
The missile base's launch pad.

Página siguiente
Fundación Hombroich: plano de situación de la base de misiles en relación con el Museo Insel Hombroich.

*Next page
Hombroich Foundation: plan of the missile base's location in relation to the Insel Hombroich Museum.*

Missile Base, Hombroich Island Foundation, Germany

In the southeast Ruhr, in the intensely urbanized landscape between Düsseldorf, Neuss and Cologne, there is a former NATO base. A bastion of the Cold War, this base is being converted into a site devoted to art and scientific research. Faced with steel sheeting for insulation, the different buildings making up the Hombroich missile base were adapted in accordance with their intended use. Where before there were the loopholes of the rifle positions, now there are doors and windows with open views of the landscape. With their great glass frontages presenting a defiant face, the three enormous hangars are used as studios and for undertaking other kinds of cultural activities. The severe grids of the window divide up the view and create picturesque planes on both sides.

The actual character of the architecture is dominated by a geometry that continues into the landscape. The ramparts structure the look of the place via horizontal lines that project into the landscape of the Lower Rhine.

The 14 hectares of the protected area were originally planted fields, without trees or bushes, and waterless. Following detailed study, the former alluvial plain was restored, resulting in a landscape combining meadows, irrigated land and humid areas. The growth of vegetation may seem excessive, but the intention has been to not restrict this: on the contrary, it has been allowed to develop freely.

Buildings and open-air sculptures have been planned for the missile base and the fields and meadows around it. Designs have been commissioned from artists such as Raimund Abraham, Tadao Ando, Álvaro Siza, Claudio Silvestrin, Eduardo Chillida, Erwin Heerich, Oliver Kruise, Katsuhito Nishikawa and Heinz Baumüller.

The main hall of the missile base accommodates forums for musicians, workshops for young composers and literary workshops, while the International Biophysics Laboratory, different seminar rooms and the library are housed in four buildings constructed by the sculptor Erwin Heerich.

The island brings together all sorts of people, especially artists and scientists, who commence their labors on the former base and subsequently develop them in the Hombroich Island Foundation.

Artistic practice shows that it is not desirable to found the functioning of the base on a single medium of expression, but rather to have all creative outpourings find their place in the museum. As a kind of pilot scheme, the base represents part of a project which seeks to demonstrate that art as a process is at times more interesting than the final end result.

TECHNICAL DATA:
Location: Neuss, Germany.
Client: The Hombroich Foundation.
Authors: Raimund Abraham, Tadao Ando, Erwin Heerich, Heinz Baumüller, Eduardo Chillida, Oliver Kruise, Claudio Silvestrin, Álvaro Siza.
Date: the beginning of 1994.

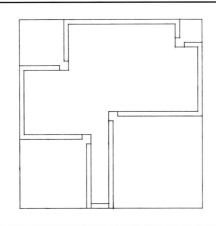
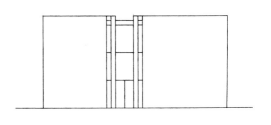

Erwin Heerich. Escultura.
Erwin Heerich. Sculpture.

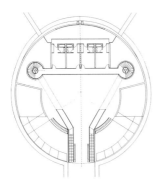
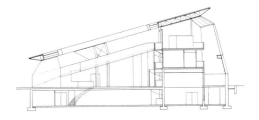

Raimund Abraham. Espacio de audición y vivienda para músicos y compositores.
Raimund Abraham. Rehearsal and living space for musicians and composers

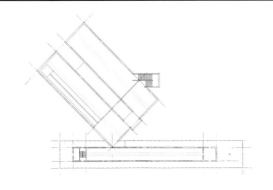
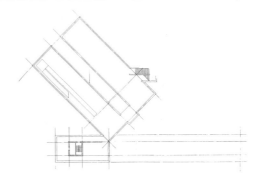

Tadao Ando. Sala de exposiciones.
Tadao Ando. Exhibition space.

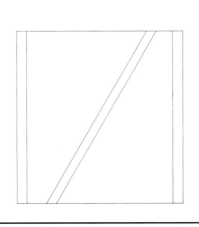
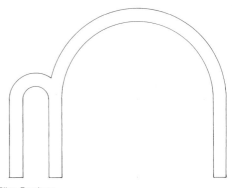

Heinz Baumüller. Escultura.
Heinz Baumüller. Sculpture.

Eduardo Chillida. Escultura de catorce metro de alto ubicada entre Raketenstation y el Museo Insel Hombroich.

Eduardo Chillida. 14-meter-high sculpture set between Raketenstation and the Insel Hombroich Museum.

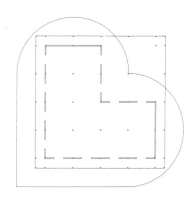

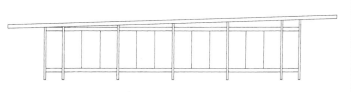

Oliver Kruse. Estudio y vivienda.
Oliver Kruse. Studio and living space.

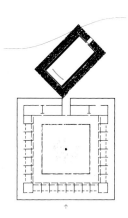

Claudio Silvestrin. Claustro abierto. Edificio para seminarios y residencia.
Claudio Silverstrin. Open Cloister. Seminar and residential building.

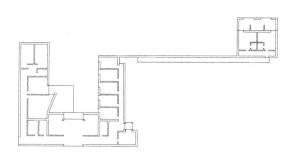

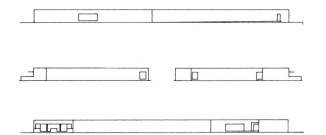

Álvaro Siza. Instituto Internacional de Biofísica, que incluye oficinas, laboratorios, biblioteca y viviendas.

Álvaro Siza. International Institute of Biophysics, combining offices, laboratories, a library and residential units.

Planta del conjunto con las estructuras geométricas.
Plan of the complex with geometrical structures.

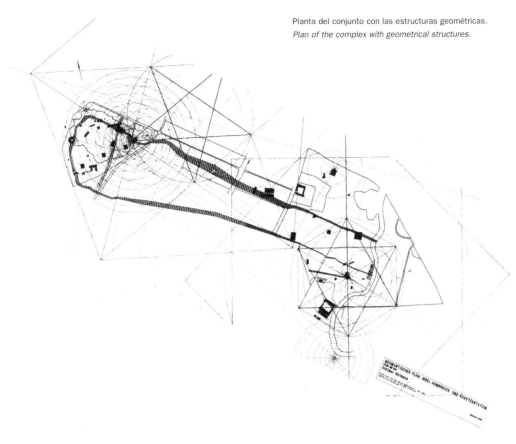

Hangar I reconvertido por
Kruse/Nishikawa (actualmente
taller Kruse/Nishikawa).
*Hangar I converted by
Kruse/Nishikawa (currently
Atelier Kruse/Nishikawa).*

Antigua torre de vigilancia.
Former watchtower.

Hangar III restaurado por Claudio Silvestrin. Al fondo Hangar II y I.
Hangar III restored by Claudio Silvestrin. In the background, Hangars I and II.

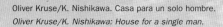

Oliver Kruse/K. Nishikawa. Casa para un solo hombre.
Oliver Kruse/K. Nishikawa: House for a single man.

"*Elevage de poussière* de Marcel Duchamp es una imagen que me fascina y que he tenido en mente durante todo este trabajo. Este recorrido entre lo infinitamente grande y lo infinitamente pequeño nos desestabiliza y se convierte en un buen ejemplo de nuestra relación con el mundo. Nosotros disponemos de medios para verlo todo, para aprehenderlo todo, pero, de hecho, no vemos nada".

Sophie Ristelhueber consigue en sus trabajos artísticos una vuelta al mundo de lo real. Un mundo en el cual el hombre habla de sus huellas, de las heridas que recibe o deja en el suelo, "territorios cicatrizados", según sus propios términos. Después de *Beyrouth: Photographies* (1984), una serie sobre la arquitectura contemporánea destruida por la guerra, *Every One* (1994) muestra su preocupación por la ambivalencia inherente en las imágenes y los signos. A partir de lo real de los lugares, Sophie Ristelhueber construye una ficción con la ayuda de fotografías silenciosas, al tiempo que determinantes (explicitadas). Este trabajo, lacónicamente titulado *Fait*, se expuso por primera vez en otoño de 1992 en *Le Magasin*, Centre National d'Art Contemporain de Grenoble y posteriormente en el MoMA de Nueva York en 1996. Fotografías tomadas en el desierto de Kuwait en 1991.

"Marcel Duchamp's Elevage de poussière *is an image that fascinates me and one I've borne in mind during this whole work. This coming and going between the infinitely large and the infinitely small destabilizes us. It's a good illustration of the relationship we have with the world. We have the means to see everything, grasp everything, but in fact we see nothing."*

In her work as an artist Sophie Ristelhueber goes back to the world of the real. A world in which man communicates via his traces, the wounds he receives or leaves behind on the land, "scarred territories," as she calls them. From Beirut: Photographs *(1984) to* Every One *(1994), a series about contemporary architecture destroyed by war, she has displayed a preoccupation with the ambivalence inherent in images and signs. Starting out from the reality of different places, Sophie Ristelhueber constructs a fiction with the help of photos that are at once silent and accusatory. This work, laconically titled* Fait [Fact], *was first shown in Autumn 1992 at* Le Magasin, *Centre national d'art contemporain in Grenoble, before being exhibited at the MoMA, New York, in 1996.*
Photographs taken in Kuwait desert in 1991.

La materia prima de la guerra

Pilar Marcos. *El País Internacional*, viernes, 16 de junio de 2000

El control de los yacimientos minerales es el principal desencadenante de las contiendas civiles.

Los agravios, la injusticia, la ausencia de democracia, los abusos contra los derechos humanos, las diferencias étnicas, la pobreza..., suelen acompañar a las guerras civiles, pero ninguno de estos factores es capaz, por sí solo, de desencadenarlas. Ésta es, al menos, la conclusión a la que llega el Banco Mundial (BM) tras analizar 47 guerras civiles en el mundo desde 1965.

El odio no es suficiente y, en demasiadas ocasiones, es el resultado más que la causa de las guerras civiles. Para que éstas comiencen hace falta que un grupo rebelde tenga los medios con los que luchar y que el conflicto, al menos para ese grupo, sea rentable. Por supuesto que habrá agravios "imaginarios o reales" por los que luchen los rebeldes, pero el Banco Mundial, en un informe que hizo público ayer, desentierra a Marx para reivindicar las causas económicas de la guerra. Y éstas no son, como podría imaginarse, ni la pobreza ni la desigualdad. ¿Cuáles entonces? Según la institución nacida en Bretton Woods, hay una que es clave: cuando una de las principales fuentes de riqueza del país es la exportación de alguna materia prima sin elaborar, el riesgo de conflicto es máximo.

El motivo es que las materias primas son un botín fácil y rentable para cualquier grupo rebelde. Pueden financiar sin problemas el coste de un conflicto, y formar parte de una guerrilla; en muchos países en desarrollo, puede ser la mejor opción laboral para sus poblaciones.

El Banco Mundial pone a Sierra Leona como ejemplo. Recuerda que los rebeldes que tomaron en enero de 1999 Freetown amputando manos a golpe de machete, tenían reclutados a unos 20.000 hombres. Que para firmar la paz, se ofreció a su líder una vicepresidencia; que éste prefirió ser ministro de minas y que la tranquilidad ha durado poco. Aún más, el BM afirma que aunque se logre *comprar* a un grupo rebelde, si hay condiciones económicas para que surja otro, lo hará.

Y la principal de esas condiciones es hacerse con el control de las materias primas destinadas a la exportación. No hay ayuda de donantes internacionales, advierte el BM, que pueda competir con el control de unas buenas minas, mejor de diamantes que de cobre, aunque también éstas pueden valer. Como ejemplo, recuerda que Jonas Savimbi, líder de la guerrilla angoleña UNITA, acumuló durante la primera guerra un botín de más de 40.000 millones de dólares (860.000 millones de pesetas) y que dedicó parte de estos activos a la segunda guerra. "Los diamantes hicieron a

The control of mineral deposits is the main cause of civil strife. Social grievances, injustice, the absence of democracy, human rights abuses, ethnic differences, poverty, usually go with civil wars, yet none of these factors is in itself capable of unleashing these. At least this is the conclusion the World Bank (WB) has arrived at after analyzing 47 civil wars in the world since 1965.

Hate is not enough and on too many occasions it is the consequence, rather than the cause, of civil wars. For these to begin it is necessary for a rebel group to have the means to fight with and for the conflict, at least for this group, to be cost-effective. Of course there will be "imaginary or real" grievances to make the rebels fight, but the World Bank, in a report it made public yesterday, disinters Marx to vindicate the economic causes of war. And these are not, as you might imagine, poverty or inequality. What are they then? According to the institution born at Bretton Woods, there's one that's crucial: when one of the main sources of wealth of a country is the exporting of a particular raw material in its crude form, the risk of conflict is extreme.

The reason is that raw materials are an easy and profitable booty for any rebel group. They can readily finance the costs of a conflict, and form part of a guerrilla movement; in many developing countries they can be the best work option for their people.

The World Bank cites Sierra Leone as an example. You will recall that the rebels who took Freetown in January 1999, cutting off hands with a machete blow, had some 20,000 recruits. That in order to sign the treaty, a vice-presidency was offered their leader; that he preferred to be Mining Minister, and that peace has not lasted for long. On top of that, the WB argues that although one manages to buy off a rebel group, if the economic conditions exist for another to spring up, it will do.

And the main thing about these conditions is to take over control of the raw materials intended for export. There is no international aid, the WB warns, that can compete with the control of a few good mines, diamond in preference to copper, although copper mines too can be valuable. As an example, remember that during the first outbreak of war in Angola, Jonas Savimbi, leader of the UNITA rebels, accumulated a booty of more than 40,000M dollars, and that he dedicated some of these assets to the second. "Diamonds made

UNITA tan rica que no había nada que los donantes pudieran ofrecerle a cambio de parar el conflicto", se queja el BM.

"Las materias primas destinadas a la exportación son especialmente vulnerables tanto a la fiscalidad de los gobiernos como a la apropiación por las guerrillas", asegura el informe. "Una vez que la mina está abierta, merece la pena explotarla, incluso aunque una parte de los beneficios vayan a parar a la guerrilla. Una vez que las plantas de café han crecido, merece la pena recolectar la cosecha aunque haya que pagar un tanto al gobierno o a los rebeldes", añade. Y el mismo argumento es aplicable a las plantaciones de coca o, con más dificultad, a los pozos de petróleo.

Es cierto que las guerras civiles se han cebado en los últimos años en países pobres y que tiene en las materias primas una de sus escasas fuentes de riqueza, pero debe haber algún elemento que actúe de espita para desencadenar el conflicto. El BM responde que hay un cóctel que resulta explosivo: que estas materias primas supongan la cuarta parte o más de la renta del lugar (de su producto interior bruto, PIB), que el crecimiento económico sea bajo o descendente y que, a cambio, el país se enfrente a una explosión demográfica con un bajo índice de alfabetización. Enrolarse en la guerrilla, en estos casos, es la mejor salida profesional para niños y jóvenes.

El Banco Mundial reconoce que una visión tan economicista de los conflictos tendrá detractores. Admite que los observadores independientes que acuden a estos lugares en guerra ven odios, étnicos o religiosos, agravios contra partes de la población, conflictos políticos, abusos contra los derechos humanos..., y entienden que ellos son la causa y no sólo el efecto de las guerras.

Además de argumentar que "es la guerra la que produce un intenso conflicto político" y no al revés, el BM mantiene que la diversidad étnica no es un factor de riesgo, sino todo lo contrario. Consciente de que ésta es una afirmación polémica, argumenta que la etnia es un factor de riesgo sólo cuando hay un grupo mayoritario que controla entre el 45 y el 90 por ciento de la población. En esos casos, ese grupo puede, incluso democráticamente, aplastar a las minorías. Para que se desencadene la guerra, éstas sólo necesitan medios económicos para luchar. Los fondos aportados por los expulsados del país pueden convertirse en una *materia prima* alternativa. La diáspora, debidamente organizada y después de lograr una mejora en su nivel de vida, puede dedicar parte de sus ingresos a financiar la guerrilla.

UNITA so rich that there was nothing the aid agencies could offer it in exchange to stop the conflict," the WB complains.

"Raw materials intended for export are especially vulnerable to both government taxation and guerrilla appropriation," the report argues. "Once a mine is open, it's worth exploiting it, even if a part of the profits ends up in guerrilla hands. Once the coffee plants have grown, it's worth harvesting them even if you have to pay a bit to the government or to the rebels," it adds. And the same argument applies to coca plantations or, more problematically, to oil wells.

It's a fact that in recent years civil wars have ravaged poor countries that possess, in their raw materials, one of their few sources of wealth, but there has to be some element that acts as a drip-feed to unleashing a conflict. The WB replies that there's one cocktail that's guaranteed to be explosive: when raw materials presuppose a quarter or more of the country's income (of its gross national product or GNP), when economic growth is low or falling and when the country also confronts a demographic explosion with a low level of literacy. To enlist in a guerrilla force in these circumstances is the best professional option for kids and youngsters.

The World Bank recognizes that such an economist view of conflict will have its detractors. It admits that independent observers who accede to these war zones witness ethnic and religious hatred, grievances against sections of the population, political conflicts, human rights abuses, and that they take these to be the cause and not the effect of wars.

As well as arguing that "it's war that produces intense political conflict" and not the other way round, the WB maintains that ethnic diversity is not a risk factor, but the very opposite. Conscious that this is a polemical statement, it argues that ethnicity is a risk factor only when there's a majority group that controls from 45 to 90 percent of the population. In these cases, that group can, even democratically, crush other minorities. For war to break out, these only need the economic means to struggle. The funds furnished by those expelled from the country can be converted into an alternative raw material. Duly organized, the refugee community may, after attaining a higher standard of living, dedicate part of its income to financing a guerrilla force.

Cantera Holderbank, Schümel, Suiza

Ordenación general de la zona de viviendas Schümel en el cantón
de Aargau, municipio de Holderbank, donde se detallan la superficie
constuida, la conformación de los espacios exteriores y las infraestructuras.

*General layout of the "Schümel" shopping area in town of Holderbank
in the canton of Aargau, in which the built surface, the form of
the outside spaces and the infrastructures are shown.*

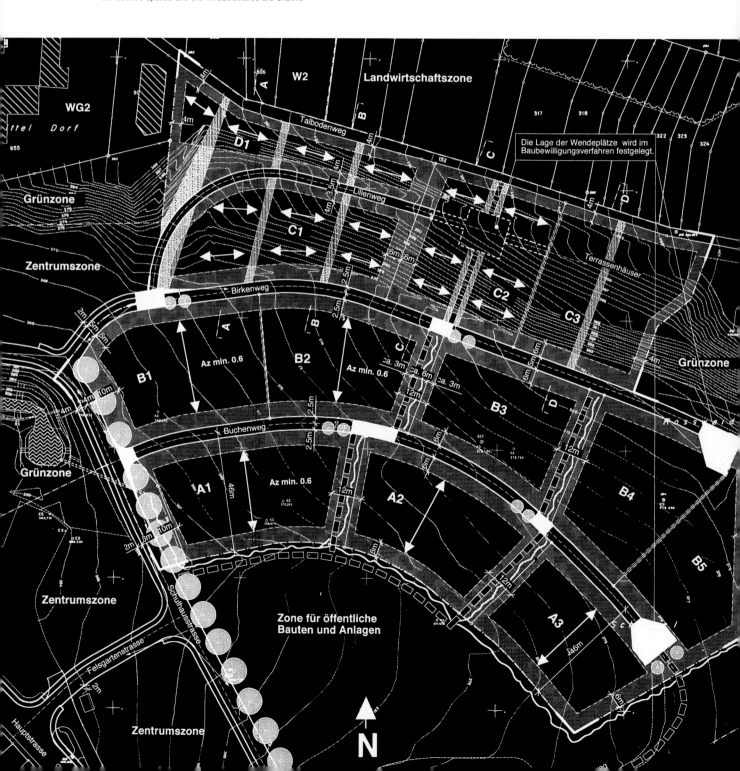

Holderbank Quarry, Schümel, Switzerland

Stöckli, Kienast & Koeppel

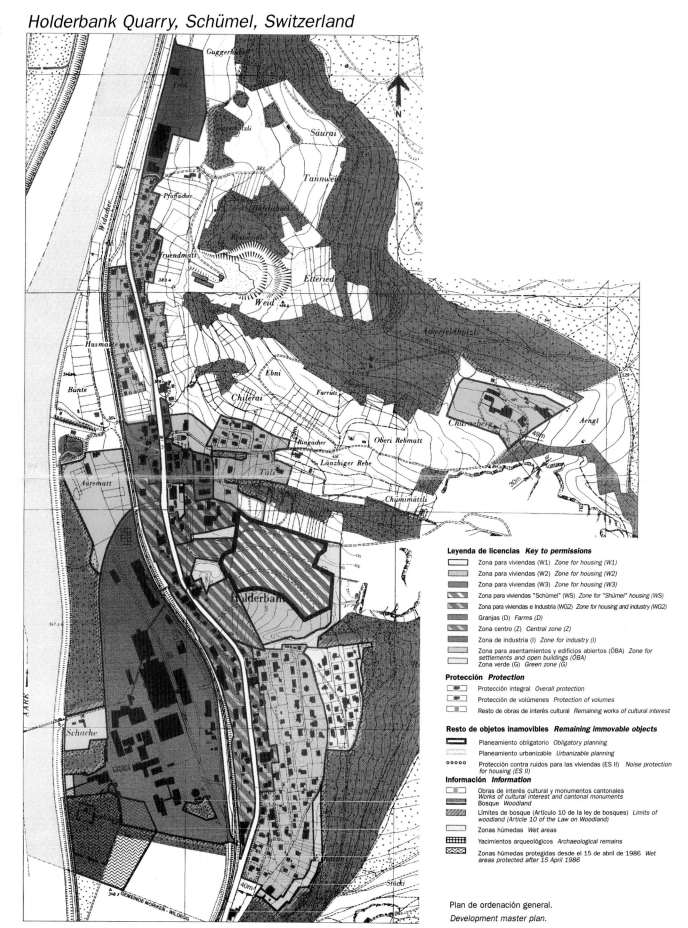

Leyenda de licencias *Key to permissions*

Zona para viviendas (W1) *Zone for housing (W1)*

Zona para viviendas (W2) *Zone for housing (W2)*

Zona para viviendas (W3) *Zone for housing (W3)*

Zona para viviendas "Schümel" (WS) *Zone for "Shümel" housing (WS)*

Zona para viviendas e Industria (WG2) *Zone for housing and industry (WG2)*

Granjas (D) *Farms (D)*

Zona centro (Z) *Central zone (Z)*

Zona de industria (I) *Zone for industry (I)*

Zona para asentamientos y edificios abiertos (ÖBA) *Zone for settlements and open buildings (ÖBA)*

Zona verde (G) *Green zone (G)*

Protección *Protection*

Protección integral *Overall protection*

Protección de volúmenes *Protection of volumes*

Resto de obras de interés cultural *Remaining works of cultural interest*

Resto de objetos inamovibles *Remaining immovable objects*

Planeamiento obligatorio *Obligatory planning*

Planeamiento urbanizable *Urbanizable planning*

Protección contra ruidos para las viviendas (ES II) *Noise protection for housing (ES II)*

Información *Information*

Obras de interés cultural y monumentos cantonales *Works of cultural interest and cantonal monuments*

Bosque *Woodland*

Límites de bosque (Artículo 10 de la ley de bosques) *Limits of woodland (Article 10 of the Law on Woodland)*

Zonas húmedas *Wet areas*

Yacimientos arqueológicos *Archaeological remains*

Zonas húmedas protegidas desde el 15 de abril de 1986 *Wet areas protected after 15 April 1986*

Plan de ordenación general.

Development master plan.

85

El Consorcio Holderbank puso en funcionamiento hace unos setenta años una cantera destinada a la producción de cemento en la zona de Schümel. Actualmente se ha dividido la propiedad, destinando dos tercios de la antigua cantera a zona natural protegida y un tercio a zona urbanizable.

La existencia de yacimientos de cal y marga en la cordillera Schümel, que asciende súbitamente desde el Aare, fue, junto a la presencia de una vía de ferrocarril en la zona, lo que motivó el establecimiento de una fábrica de cemento en Holderbank. En 1913 se comenzó la explotación, extendiéndose finalmente desde una profunda cavidad a lo largo de la carretera local, hasta llegar a los 1.250 metros en la parte de mayor altura. En el interior de la cantera existe una diferencia de cota de hasta 300 metros, de los cuales se han rellenado unos 50. La extensión final asciende a 28 hectáreas. En 1980 se cerró la explotación.

Los largos años de explotación y el modo poco sistemático en que fue realizada hizo surgir los relieves y características propios de las antiguas canteras. Los cantos de las zonas de derribo, los declives escarpados, la piedra caliza y los llamativos taludes de marga con exposiciones bien diferenciadas, así como las proporciones variables de agua, sustratos y materia nutriente, confieren a este lugar una clara diferenciación.

Esta diversidad favorece, en la actualidad, el establecimiento de una gran variedad de flora y fauna procedentes de los hábitats cercanos: el área fluvial del Aare, la zona de colinas del Jura y del Mittelland suizo y la floresta de la cadena sur del Jura.

Además de ello, impresionan actualmente las formaciones rocosas, únicas en su género, que se pueden apreciar claramente debido a que la explotación de la cantera las ha dejado al descubierto. Las formaciones rocosas, junto con los distintos resultados que ha producido la erosión, unas veces en lugares secos, otros en forma de tumultuosas acequias, así como la escasa vegetación, confieren una estética muy peculiar al paisaje resultante de esta explotación.

En 1997 se estableció la división de la zona urbanizable en zona de viviendas, zona comercial y zona de equipamientos públicos. El plan que se dictó para la zona Schümel formula, en sus prescripciones, unas regulaciones ejemplares acerca de la conservación y el fomento del espacio natural en una zona de la población. El hecho de incluir estos aspectos, que tratan la relación de la ecología con el establecimiento de una población, pretende asegurar un desarrollo futuro sostenible, ya que se presta atención tanto a lo relacionado con el establecimiento de esa población, como a la zona natural protegida contigua.

Al principio, al realizar las obras superestructurales se cubrieron las parcelas con humus, con lo que se logró que el ecosistema del páramo realizara una valiosa contribución. En este lugar se pueden establecer temporalmente tanto especies vegetales como especies animales, reproducirse y, desde aquí, extenderse.

Los trabajos de "recultivo" llevados a cabo por la empresa que explotó la cantera tenían como objetivo promover y mejorar la calidad biotópica de la zona. Únicamente se intervino en favor de la seguridad y protección frente a las riadas con métodos de construcción lo más respetuosos posibles con la naturaleza. Tras estas medidas, se registró de nuevo la estabilidad de la flora y fauna existentes, lo que pudo documentar exhaustivamente la petición de cualificación supraregional de estas 18 hectáreas como zona natural protegida. En 1997 se aprobó la consideración de zona natural protegida, mediante la cual se establecen los fundamentos de cuidado y mantenimiento para los próximos diez años, así como las aportaciones económicas por parte de la Confederación y del cantón destinadas a los gastos de organización del plan de mantenimiento, los trabajos a realizar para dicho mantenimiento y los controles de resultados.

El mantenimiento y cuidado de la zona natural protegida no pretende detener el proceso de desarrollo, sino configurarlo de acuerdo a actuaciones que tengan una finalidad clara preestablecida. Se orienta de acuerdo con la capacidad de crecimiento natural del lugar, y mantiene únicamente algunas zonas libres de maleza, cuyo desarrollo está restringido. El mantenimiento favorece la deseada biodiversidad en aquellos lugares donde la reforestación natural tiene un desarrollo rápido. Regularmente se comprueba si el efecto de las medidas de mantenimiento y conservación benefician a la flora y la fauna.

FICHA TÉCNICA:
Autor: Hans-Dietmar Koeppel, ingeniero, arquitecto paisajista.
Colaboradores: Beat Stöckli, Joachim Wartner, Viktor Keller, Christine Meier, Claude Meier.
Ingenieros: Parte I y III: Stöckli, Kienast & Koeppel, arquitectos paisajistas, Wettingen. Parte II: Marti Partyner, arquitectos y aparejadores, Lenzburg y Frei arquitectos y aparejadores, Kirchdorf.
Situación: Holderbank, Cantón de Argau, Suiza.
Cliente: HCP Cementera, Siggenthal-Bahnhof.
Proyecto: Explotación de la cantera: 1913-1980. Cualificación de terrenos. Parte I: reserva natural 1978-1995; parte II: área urbanizable 1988-1997; parte III: mantenimiento de la reserva natural 1996-1997.

Some seventy years ago the Holderbank Consortium brought into service a quarry intended for the production of cement in the Schümel area. Today, the property has been divided up, two-thirds of the former quarry being intended as a protected nature reserve, and one third as an urbanizable area. The existence of lime and marl deposits in the Schümel mountain range, which rises sharply from the Aare River, was, together with the presence of a rail link in the area, what motivated the establishment of a cement factory in Holderbank. Workings began in 1913, finally extending from a deep depression alongside the local road to a height of 1250 meters. Inside the quarry there is a height difference of up to 300 meters, some fifty of which have been filled in. The final surface area extends to 28 hectares. In 1980 quarrying ended. Long years of working and the unsystematic way in which this was carried out caused the particular contours and characteristics of the old quarries to emerge. The areas of rubble and debris, the scarped gradients, the limey stone and the eye-catching taluses of marl with their highly differentiated markings, plus the varying proportions of water, substrata and nutrient matter, give this location its special identity.

Today, such diversification favors the establishment of a wide range of flora and fauna proceeding from neighboring habitats: the fluvial zone of the Aare, the hilly area of the Jura and the Swiss Mittelland, and the woodland of the southern chain of the Jura.

On top of that, the unique rock formations, which can be readily appreciated due to the way the quarry workings have left them exposed, are impressive. These rock formations, together with the varying results that erosion has produced, sometimes in dry spots, other times in the shape of disorderly arroyos, plus the scant vegetation, confer a highly unusual look on the landscape.

In 1997 the division was established of the urbanizable zone into a housing area, a commercial area, and one of public amenities. The plan laid down for the Schümel area sets out a series of exemplary regulations as to the conservation and promotion of natural space in a populated zone. The fact of including those aspects which address the relationship of the ecology with the establishment of a settlement seeks to guarantee a sustainable development in the future, given that special attention is paid to everything related to the establishment of this settlement and the protected nature area bordering it.

At the start of the superstructural works, the plots of land were covered with humus, thus aiding the ecosystem of the waste ground to make its contribution. Both plant and animal species can, with time, establish themselves here, reproducing and spreading outwards from the area.

The works of "re-cultivation" carried out by the company that worked the quarry have as their goal the promotion and improvement of the biotopic quality of the area. We intervened in favor of security and protection solely as regards flooding, and using the most respectful building methods possible in relation to nature. Following these measures the stability of the existing flora and fauna was recorded again, thus providing documentation for the requested supra-regional qualification of these 18 hectares as a protected natural area.

In 1997 protected natural area status was approved, through which the fundamentals of care and maintenance for the next ten years are established, along with the economic contributions on the part of the Swiss Confederation and the Canton towards the organizational costs of the maintenance plan, the works to be undertaken for said maintenance, and the controlling of the results.

The care and maintenance of the protected natural area does not set out to restrain the development process, but to mold it in accordance with interventions that have a clear, pre-established purpose. It is oriented in relation to the location's capacity for natural growth, and only keeps a number of areas whose development is restricted free of undergrowth. In those places where natural reforestation has a rapid development, maintenance privileges the desired biodiversity. We regularly check to see if the effect of the maintenance and conservation measures benefit the flora and fauna.

TECHNICAL DATA:
Author: Hans-Dietmar Koeppel, engineer and landscape architect.
Collaborators: Beat Stöckli, Joachim Wartner, Viktor Keller, Christine Meier, Claude Meier.
Engineers: Parts I and III: Stöckli, Kienast & Koeppel, landscape architects, Wettingen.
Part II: Marti Partyner, architects and surveyors, Lenzburg and Frei, architects and surveyors, Kirchdorf.
Location: Holderbank, Canton of Argau, Switzerland.
Client: HCP Cements, Siggenthal-Bahnhof.
Project: Quarry workings: 1913-1980.
Qualification of the site. Part I: nature reserve 1978-1995; part II: urbanizable area 1988-1997; part III: maintenance of the nature reserve 1996-1997.

Holderbank Quarry, Schümel, Switzerland

Ophtys apifera.
Ophtys apifera.

e inmediatamente las superficies de agua se ven ocupadas por el flotar inmóvil de los sapos reales.

...and the stretches of water are immediately occupied by the immobile mass of floating royal toads.

La explotación no sistematizada de la cantera para la producción de cemento durante un largo período de tiempo dio forma a un escenario muy particular, donde los cantos de las zonas de derribo, los declives escarpados, la piedra caliza, las formaciones rocosas producto del proceso de explotación y su posterior erosión natural, significativos taludes de marga, las proporciones variables de agua, etc., se constituyen en elementos diferenciados de un mismo paisaje, que potencian el establecimiento de flora y fauna de los hábitats más cercanos.

En Schümel encontramos grandes superficies de terreno yermo, entre los cuales se cuentan todos los rellenos. El agua discurre por todos los sitios confluyendo en arroyos de montaña que mueren y se apaciguan en pequeñas lagunas.

The unsystematic, long-term exploitation of the quarry for the production of cement gave rise to a very particular setting, one in which the edges of the quarried areas, the scarped slopes, the limestone, the rock formations produced by the workings and their subsequent natural erosion, impressive banks of marl, the varying proportions of water, etc., become differentiated elements in a single landscape that favor the establishment of the flora and fauna from habitats in the immediate vicinity.

In Schümel we encountered vast areas of waste land, areas in which all the in-fill is found. Water meanders through the entire area, meeting in mountain streams and settling into small lagoons.

Holderbank Quarry, Schümel, Switzerland

Shlomo Aronson

Minas de fosfato, Negev, Israel

La explotación de fosfato ha sido una de las mayores actividades mineras del desierto de Negev, Israel, y responde a intereses económicos y tecnológicos del país, aunque ha tenido consecuencias devastadoras para el paisaje. Durante décadas, este valle ha sido torturado por la extracción del material mediante minas a cielo abierto. El resultado ha sido la creación de un entorno desolado, compuesto por enormes vaciados del terreno, acompañados por montículos de desperdicios de exageradas proporciones.

La conciencia pública generada alrededor del impacto ambiental fruto de las excavaciones presionó a la compañía minera para encargar un plan que conciliara los intereses comerciales con aspectos medioambientales y de desarrollo sostenible. La solución no debía ser excesivamente costosa ni técnicamente complicada. Se trata de plantear una estrategia de extracción que dialogue con los elementos naturales en vez de esperar a buscar soluciones cuando el espacio esté ya muy deteriorado.

El entorno minero abarca unas 256 hectáreas y forma parte de una de las cuencas más grandes del desierto de Israel, el valle del Zin, de unos 120 kilómetros de largo. La extracción del fosfato se produce en niveles profundos de la capa geológica, bajo la capa pluvial, de unos 16 metros, y otra de arcilla, de unos ocho metros. Esto produce enormes cantidades de desechos, actualmente acumulados en montículos que llegan hasta los 40 metros de altura, y excavaciones muy profundas de geometría abrupta y escala desproporcionada.

El nuevo procedimiento minero que plantea esta estrategia se basa en los rasgos característicos de la topografía del territorio. La extracción se lleva a cabo siguiendo las curvaturas naturales del terreno, permitiendo la continuidad de las aguas que por allí circulan. Para reducir la enorme escala de los vertederos, se propone escalonar los montículos cada diez metros de altura, en lugar de los treinta o cuarenta metros que se producían. Así, el modo de excavación del terreno dialoga con las formaciones naturales para que, al final de la explotación, el paisaje natural y el artificial estén estrechamente relacionados.

El resultado final es un nuevo paisaje artificial, creado al margen del existente pero, en este caso, utilizando referentes propios, una escala apropiada para el entorno y el uso de formas típicas de la región, a cambio de un pequeño incremento en el coste de cada tonelada extraída.

FICHA TÉCNICA:
Autor: Shlomo Aronson.
Emplazamiento: Zin Valley, Desierto de Negev, Israel.
Colaboradores: Yair Levi (Rotem L.t.d.), geólogo y Efraim Ron (Rotem L.t.d.), ingeniero.
Arquitecto encargado del proyecto: Yair Avigdor.
Cliente: Negev phosphates L.t.d. (hasta 1992), Rotem L.t.d. (desde 1992).
Proyecto: 1990.
Construcción: 1992-.

TECHNICAL DATA:
Author: Shlomo Aronson.
Location: Zin Valley, Negev Desert, Israel.
Collaborators: Yair Levi (Rotem Ltd.), geologist, and Efraim Rom (Rotem Ltd.), engineer.
Architect in charge of the project: Yair Avigdor.
Client: Negev Phosphates Ltd. (until 1992), Rotem Ltd. (since 1992).
Project: 1990.
Construction: 1992-.

Shlomo Aronson

Phosphate Mines, Negev, Israel

The digging of phosphate has been one of the major mining activities in the Negev Desert in Israel, and accords with the country's economic and technological interests, although it has had appalling consequences for the landscape. For decades this valley has been devastated by the extraction of the substance by means of opencast mining. The outcome has been the creation of a desolate environment of vast, empty tracts of land punctuated by huge mounds of waste.

Public awareness generated by the general impact of the excavations pressurized the mining company into commissioning a plan that would reconcile commercial interests with environmental aspects and the notion of sustainable growth. The solution was meant to not be excessively costly or technically complicated. It involved proposing a strategy of mining that might dialogue with the natural elements, instead of hoping to encounter solutions when the space was already largely spoiled.

The mine surroundings span some 256 hectares and form part of one of the biggest desert valleys in Israel, the 120-kilometer-long Zin Valley. The extraction of phosphate is produced at deep levels of the geological stratum, beneath the 16-meter-wide water table, and a further layer of clay, eight meters wide. This produces enormous quantities of waste, currently accumulated in mounds that reach some 40 meters in height, and in extremely deep excavations of rugged geometry and disproportionate scale.

The new mining technique this strategy proposes is based on the characteristic features of the topography of the region. Extraction is carried out by following the natural curves of the terrain, allowing for the continuity of the water in movement there. In order to reduce the vast scale of the slag heaps, it is proposed to step the mounds every ten meters, instead of the thirty or forty meters that were common. In this way the terrain's method of extraction dialogues with the natural formations so that, the excavation once concluded, both natural and artificial landscape are linked directly.

The final result is a new artificial landscape created on the edges of the existing one, but, in this case, by utilizing its own referents, a scale appropriate to the surroundings and the use of forms typical of the region, all this in exchange for a small increase in the cost of each ton extracted.

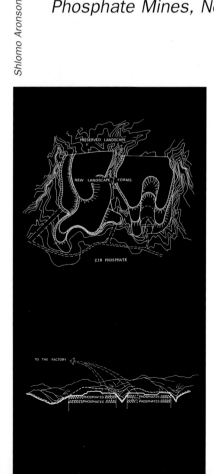

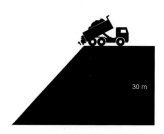

Configuración final de la mina de fosfatos tras el movimiento de 75 millones de metros cúbicos de tierra y la producción de 23 millones de toneladas de fosfatos.

Final form of the phosphate mine, after the moving of 75 million cubic meters of earth and the production of 23 million tons of phosphate.

Los estratos de fosfato yacen profundos, en capas.

The phosphate-bearing strata lie deep in the ground in layers.

Fotografía aérea. La misma zona tras haber explotado cuarenta millones de toneladas de tierra, 1966.

Aerial photo. The same area after mining 40 million tons of earth and phosphates, 1996.

Fotografía aérea. Comienzos de la cantera donde se vierten los rellenos sobrantes, 1991.

Aerial photo. The beginning of the quarry, where surplus in-fill is dumped, 1991.

30 m

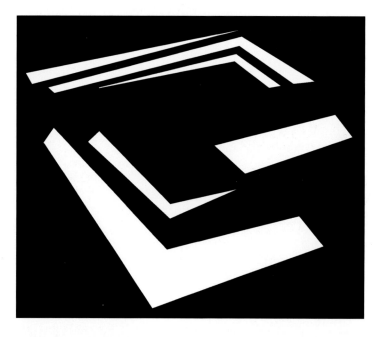

Método tradicional de extracción. La anchura de la berma es de, al menos, treinta metros.

Typical mining methods. The width of the berm is at least 30 meters.

Nuevo método de extracción. En este caso, la altura de la berma es de tan sólo diez metros.

New mining method. In this instance the height of the berm is only 10 meters.

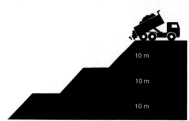

10 m

10 m

10 m

Los fostatos se explotan a una profundidad considerable (26 metros de media).

The phosphate is mined to a considerable depth (an average of 26 meters).

Montaña de los alrededores cuya cúspide inspiró la forma de los nuevos depósitos de residuos.

A nearby mountain, whose summit inspired the form of the new waste deposits.

Típico cráter abandonado.
A typical abandoned pit.

El área de la mina, desde arriba, con la fábrica que procesa los fosfatos al fondo.

The mining area from above, with the factory that processes the phosphates in the background.

Seis años de estratos de residuos.
Six years of waste layers.

Las salinas de Súria, Bages, España

La potasa se obtiene a partir del mineral extraído en las minas subterráneas de la comarca del Bages. Este mineral está compuesto, a su vez, por potasa y sal, por lo que es necesario separar ambos productos mediante un proceso de trituración y posterior flotación diferencial por densidades.

La producción de potasa, que se utiliza como abono agrícola, conlleva la generación de importantes cantidades de sal, que exceden las posibilidades actuales de aprovechamiento como materia prima en la industria, lo que obliga a su acumulación en una montaña de sal, para su utilización futura.

El sistema de acumulación, mediante un cañón que proyecta el material con un ligero grado de humedad para evitar su dispersión, es similar a los cañones de nieve artificial. Esta forma de acumular el material sugiere la posibilidad de configurar la imagen final del deposito salino, organizando la deposición en el tiempo y en el espacio, mediante un proyecto de formación en etapas, compatible con el proceso productivo.

En el ámbito del curso "Los paisajes del rechazo, su recuperación. Proyectar con la sal" impartido en la Universitat Politècnica de Catalunya, se inició un proceso académico de investigación y docencia sobre las posibilidades morfológicas del depósito salino que la empresa Iberpotash SA tiene en el municipio de Súria.

Las distintas propuestas elaboradas hasta este momento dentro del ámbito universitario, obedecen a dos referencias íntimamente articuladas en la formalización final del depósito. La primera incide en la futura forma de la nueva topografía mediante el establecimiento de un programa de uso mínimo, accesibilidad, miradores, entornos singulares, etc. La segunda deriva de la percepción media y lejana de la montaña de sal, un hito artificial prácticamente único por su geometría y contraste con el entorno.

Estas dos referencias determinan el desarrollo de las propuestas, puesto que en alguna de ellas predomina la percepción del depósito como objeto singular en el paisaje, sin olvidar el programa, mientras que en otras predomina el uso, el contacto con el lugar.

El conocimiento en mayor profundidad del carácter singular del paisaje de la sal permite establecer, dentro de los referentes expuestos, diversas aproximaciones al tema.

FICHA TÉCNICA:
Autores: Trabajos realizados en los cursos: "Los paisajes del desecho, su recuperación. Proyectar con la sal" y en el curso de doctorado, "Capacidad y morfología del paisaje contemporáneo".
Emplazamiento: Súria, Bages, España.
Superficie: 26 ha.
Inicio de los estudios: 1998.
Período estimado de realización: 2001-2025.

Súria Salt Deposits, Bages, Spain

Potash is obtained from the mineral extracted in the mines of the Bages region. This mineral is in its turn made up of potash and salt, due to which it is necessary to separate both products by using a process of trituration and then the flotation technique based on differential densities.

The production of potash, a substance utilized as agricultural fertilizer, involves the generation of considerable quantities of salt, quantities that exceed current possibilities for its use as a raw material in industry. This leads to its accumulation into a mountain of salt for future use.

The system of accumulation by means of a pipe that projects the material with a slight degree of humidity so as to avoid its dispersion is similar to the piping of artificial snow. This way of accumulating the material suggests the possibility of configuring the final image of the salt deposits by organizing their deposition in time and space via a plan for their formation in stages, stages compatible with the production process.

In the context of the course on "Landscapes of Waste and Their Rehabilitation. Planning with Salt", given at the Polytechnic University of Catalonia, an academic process of research and teaching was begun on the morphological possibilities of the salt deposits the Iberpotash Company has in the town of Súria.

The different schemes created until now within the university context obey two parameters intimately articulated in the final formalization of the deposits. The first refers to the future form of the new topography through the establishment of a program of minimum use, accessibility, vantage points, unusual surroundings, etc. The second derives from the middling and distant perception of the salt mountain, an artificial landmark practically unique in its geometry and its contrast with the surroundings.

These two parameters determine the development of the proposals, given that in some of them there predominates the perception of the deposits as a singular object in the landscape, without forgetting the program; in others usage, contact with the location, predominates.

Greater knowledge of the singular nature of the salt landscape permits one to establish, within the above parameters, different approaches to the subject.

TECHNICAL DATA:
Authors: works realized during the courses "Landscapes of Waste and Their Rehabilitation. Planning with Salt", and on the doctorate course
"Capacity and Morphology of the Contemporary Landscape".
Location: Súria, Bages, Spain.
Surface area: 26 hectares.
Beginning of the studies: 1998.
Estimated period of realization: 2001-2025.

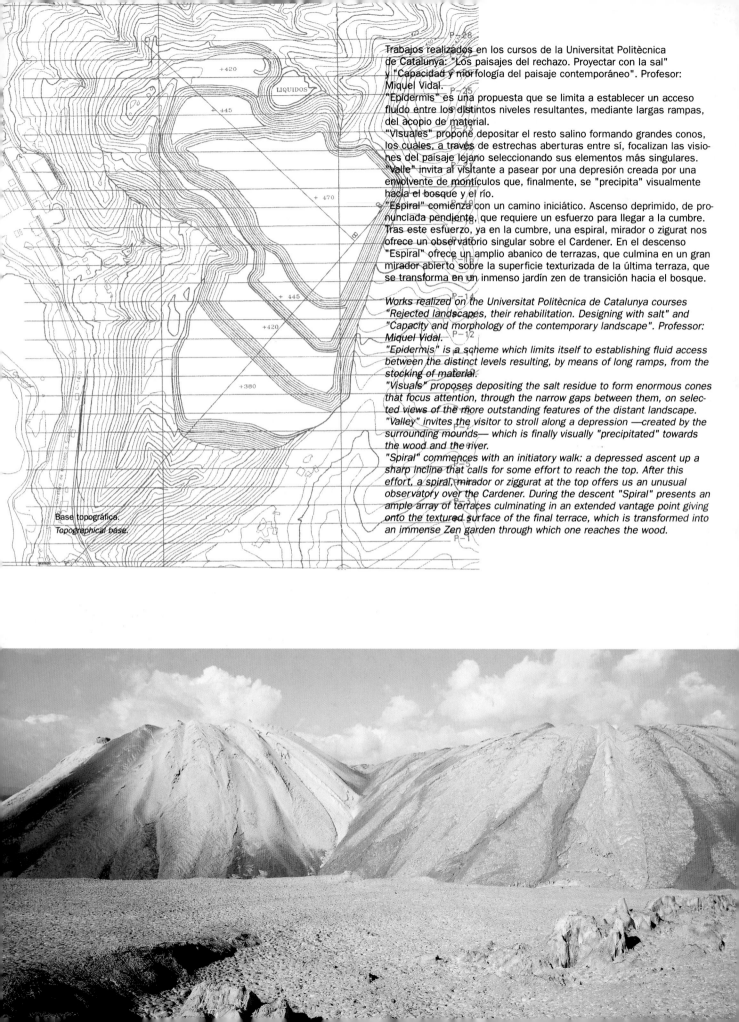

Trabajos realizados en los cursos de la Universitat Politècnica
de Catalunya: "Los paisajes del rechazo. Proyectar con la sal"
y "Capacidad y morfología del paisaje contemporáneo". Profesor:
Miquel Vidal.
"Epidermis" es una propuesta que se limita a establecer un acceso
fluido entre los distintos niveles resultantes, mediante largas rampas,
del acopio de material.
"Visuales" propone depositar el resto salino formando grandes conos,
los cuales, a través de estrechas aberturas entre sí, focalizan las visio-
nes del paisaje lejano seleccionando sus elementos más singulares.
"Valle" invita al visitante a pasear por una depresión creada por una
envolvente de montículos que, finalmente, se "precipita" visualmente
hacia el bosque y el río.
"Espiral" comienza con un camino iniciático. Ascenso deprimido, de pro-
nunciada pendiente, que requiere un esfuerzo para llegar a la cumbre.
Tras este esfuerzo, ya en la cumbre, una espiral, mirador o zigurat nos
ofrece un observatorio singular sobre el Cardener. En el descenso
"Espiral" ofrece un amplio abanico de terrazas, que culmina en un gran
mirador abierto sobre la superficie texturizada de la última terraza, que
se transforma en un inmenso jardín zen de transición hacia el bosque.

*Works realized on the Universitat Politècnica de Catalunya courses
"Rejected landscapes, their rehabilitation. Designing with salt" and
"Capacity and morphology of the contemporary landscape". Professor:
Miquel Vidal.
"Epidermis" is a scheme which limits itself to establishing fluid access
between the distinct levels resulting, by means of long ramps, from the
stocking of material.
"Visuals" proposes depositing the salt residue to form enormous cones
that focus attention, through the narrow gaps between them, on selected views of the more outstanding features of the distant landscape.
"Valley" invites the visitor to stroll along a depression —created by the
surrounding mounds— which is finally visually "precipitated" towards
the wood and the river.
"Spiral" commences with an initiatory walk: a depressed ascent up a
sharp incline that calls for some effort to reach the top. After this
effort, a spiral, mirador or ziggurat at the top offers us an unusual
observatory over the Cardener. During the descent "Spiral" presents an
ample array of terraces culminating in an extended vantage point giving
onto the textured surface of the final terrace, which is transformed into
an immense Zen garden through which one reaches the wood.*

Base topográfica.
Topographical base.

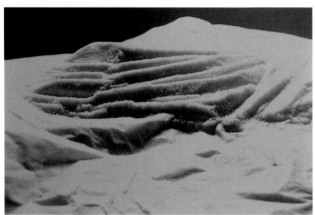

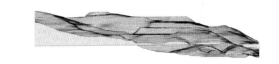

Maria Isabel Bennassar, Virginia Pallarés, Joan E. Vilardell, Laetitia Sauleau

Canteras de s'Hostal, Ciutadella, Menorca, España

Las actuaciones previstas para la recuperación de las canteras de s'Hostal, en la isla de Menorca, forman parte de un programa emprendido por Líthica, cuyo objetivo general es la recuperación del patrimonio etnológico y artístico de las canteras de marés. Esta propuesta se plantea como experiencia piloto para futuras intervenciones de este tipo en la isla y pretende, aparte de la reconfiguración paisajística, la ordenación para la visita pública y el uso de los espacios para actividades culturales, lúdicas y artesanales.

Las canteras se entrelazan en el territorio, a modo de grandes agujeros que irrumpen en el trazado agrícola, y están catalogadas en dos tipos: las manuales, o canteras viejas, y las mecánicas, o canteras nuevas. La idea ordenadora que se propone entiende el carácter global de s'Hostal y, al mismo tiempo, plantea diversos usos según las particularidades de sus ámbitos. Debido al rudimentario proceso de extracción, las canteras viejas presentan formas azarosas, casi laberínticas, y tienen un carácter eminentemente formal. Su escala y la presencia de vegetación de la zona en su suelo húmedo dan lugar a una especie de jardín romántico, protegido y silencioso. La propuesta reconoce este valor e incide en este oasis planteando un jardín botánico. Por su parte, en las canteras nuevas se proponen usos de mayor escala dada su dimensión y presencia en el sitio. Por ello, la última cantera en el recorrido, que cuenta con la mayor profundidad, 25 m, se propone como grupo escénico. Cada plataforma de marés, acompañada de diversas graderías de madera, recoge un espacio central especialmente apto para representaciones.

La actuación general se basa en el tratamiento del plano superior, entendiendo el conjunto de las canteras como una rotura en la continuidad del paisaje. El proyecto plantea la reinterpretación de la trama agrícola como manera de organizar los recorridos desde el nivel superior que, entrelazada con la trama marcada por las líneas de las canteras mecánicas, define los caminos. Las masa vegetal arbustiva será la que dibuje este nuevo trazado y la que sirve como elemento de protección de los límites de las canteras. Este plano creado con la vegetación integrará las canteras con el resto del campo anexo. El negativo de esta trama permite también plantear un espacio interior, el excavado, que permitiría conectar varias canteras por el nivel inferior.

FICHA TÉCNICA:
Autores: Maria Isabel Bennassar, Virginia Pallarés, Joan E. Vilardell, Laetitia Sauleau.
Cliente: Líthica.
Proyecto: 1996.
Emplazamiento: Ciutadella, Menorca, España.

Maria Isabel Bennassar, Virginia Pallarés, Joan E. Vilardell, Laetitia Sauleau

The s'Hostal Quarries, Ciutadella, Minorca, Spain

The interventions foreseen for the rehabilitation of the s'Hostal quarries on the island of Minorca form part of a program undertaken by Líthica, the main objective of which is a reclamation of the ethnological and artistic heritage of the sandstone workings. This proposal is put forward as a pilot scheme for future interventions of this type on the island and aims, aside from landscape reconfiguration, at planning for public visits and for the use of these spaces for cultural leisure and artisanal activities.

The quarries are imbricated with the territory, like enormous holes invading the agricultural layout, and are listed under two types: the manual, or old, quarries; and the mechanical, or new, ones. The development scheme being proposed is cognizant of the general nature of s'Hostal, and at the same time puts forward varied uses according to the particularities of its different areas. Due to the rudimentary extraction process, the old quarries display aleatory, almost labyrinthine, forms, and have an eminently formal quality. Their scale and the presence of vegetation on the area's humid ground gives rise to a kind of Romantic garden, cloistered and silent. The proposal recognizes this factor and touches on this oasis by planting a botanical garden. As to the new quarries, larger scale uses are proposed, given the size and presence of these quarries in the locality. For this reason the final quarry in the series, which is much deeper (25 meters), is proposed as a scenic "set". Each sandstone platform, accompanied by tiered wooden seating of various kinds, includes a central space especially suited to live performances.

The overall intervention is based on the handling of the higher plane, understanding the group of quarries as a breach in the continuity of the landscape. The project addresses the reinterpretation of the agricultural weave as a way of organizing the trajectory from the upper level which, interlaced with the weave marked by the lines of the mechanized quarries, defines the pathways. The bushy vegetal mass will be the one which defines this new layout and which serves as an element protecting the rims of the quarries. Created with vegetation, this plane will integrate the quarries with the rest of the surrounding countryside. The "negative" of this weave also enables us to propose an inner space —the excavated one— that would permit the connecting of various quarries at the lower level.

TECHNICAL DATA:
Authors: Maria Isabel Bennassar, Virginia Pallarés, Joan E. Vilardell, Laetitia Sauleau.
Client: Líthica.
Project: 1996.
Location: Ciutadella, Minorca, Spain.

PEDRERES DE S'HOSTAL
PROJECTE LÍTHICA 1996

ARQUITECTES:
Mª ISABEL BENNASAR FELIX
VIRGINIA PALLARES QUEROL.
JOAN E. VILARDELL SANTACANA
LAETITIA SAULEAU LARA.

PLANTA. escala: 1/5000

Indústria de la construcció

Página anterior.
Vista de la cantera: extracción manual y extracción mecánica.
Previous page.
View of the quarry: manual and machine extraction.

Planta general.
General plan.

Usos: *Uses:*
1. Cantera de la entrada.
   Entrance quarry.
2. Cantera de los cuatro.
   Quarry of the four.
3. Cantera del teatro.
   Theater quarry.
4. Cantera del tótem.
   Totem quarry.
5. Cantera de la encina.
   Holm oak quarry.
6. Cantera de los pinos.
   Pine quarry.
7. Cantera de plantíos.
   Planting quarry.
8. Cantera de las proas.
   Quarry of the bows.
9. Cantera del fregadero.
   Scullery quarry.
10. Barranco de los cerezos.
    Cherry tree quarry.
11. Cantera del higueral.
    Fig tree quarry.
12. Cantera de la sombra.
    Shadow quarry.
13. Cantera de la piedra caída.
    Fallen rock quarry.
14. Llanura del aljibe.
    Cistern plain.
15. Llanura de los almendros.
    Almond tree plain.
16. Llanura de los tilos.
    Lime tree plain.
17. Cantera de la mesa.
    Table quarry.
18. Cantera del corral.
    Corral quarry.

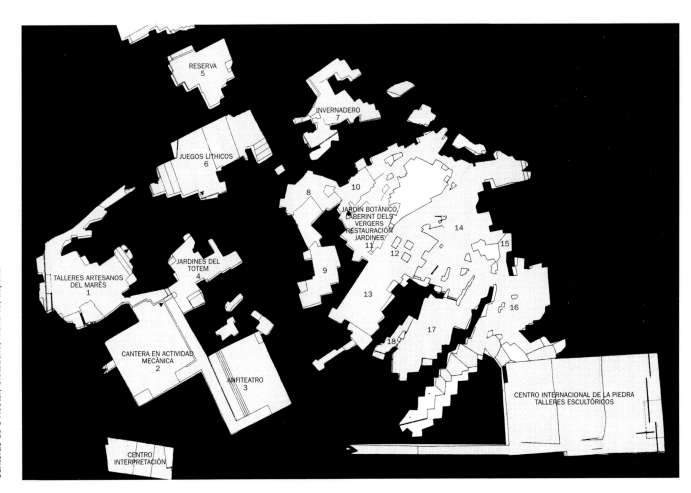

Canteras de s'Hostal, Ciutadella, Menorca, España

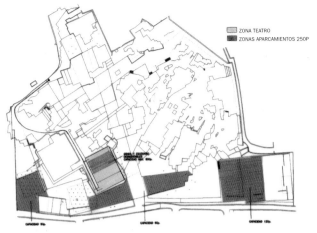

ZONA TEATRO
ZONAS APARCAMIENTOS 250P

Teatro y aparcamientos. Aforo para 50, 80 y 120 personas. Grada y escenario desmontables con una capacidad máxima para 800 personas. Aparcamiento con capacidad para 250 plazas.

Theater and parking areas. Capacity for 50, 80 and 120 people. Dismountable stage and seating with a total capacity for 800 people. Parking with a capacity for 250 places.

Seguridad. Estudio de refuerzo de muros existentes y emplazamiento de elementos de protección. Pavimentos. Tratamiento de los pavimentos. Terreno natural compactado con juntas, losas de marés, rampas y piezas de borde de marés.

Safety. Reinforcement study for existing walls and siting of protective elements. Paving. Treatment of paved areas. Natural earth compressed with joints, sandstone slabs, ramps and edging blocks of sandstone.

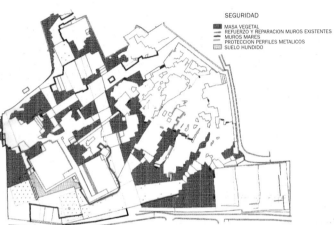

SEGURIDAD

MASA VEGETAL
REFUERZO Y REPARACION MUROS EXISTENTES
MUROS MARES
PROTECCION PERFILES METALICOS
SUELO HUNDIDO

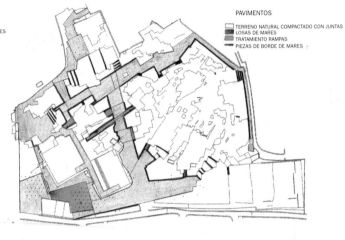

PAVIMENTOS

TERRENO NATURAL COMPACTADO CON JUNTAS
LOSAS DE MARES
TRATAMIENTO RAMPAS
PIEZAS DE BORDE DE MARES

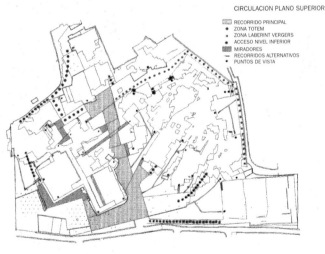

CIRCULACION PLANO SUPERIOR

RECORRIDO PRINCIPAL
ZONA TOTEM
ZONA LABERINT VERGERS
ACCESO NIVEL INFERIOR
MIRADORES
RECORRIDOS ALTERNATIVOS
PUNTOS DE VISTA

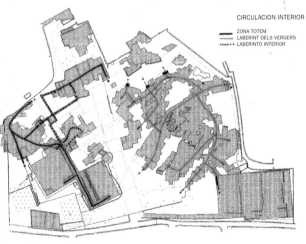

CIRCULACION INTERIOR

ZONA TOTEM
LABERINT DELS VERGERS
LABERINTO INTERIOR

Circulación plano superior. Circulación interior.
Upper circulation level. Interior circulation.

Plano superior de vegetación.
Upper vegetation level.

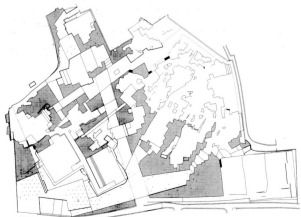

The s'Hostal Quarries, Ciutadella, Minorca, Spain

Página siguiente arriba
Foto aérea, 1968.

Next page, top
Aerial photo, 1968.

Página siguiente abajo
Foto aérea, 1991.

Next page, bottom
Aerial photo, 1991.

The s'Hostal Quarries, Ciutadella, Minorca, Spain

Alejandro Bahamón

Haciendo retazos de paisaje.
Técnicas de extracción y propiedades de la piedra de marés en la isla de Menorca.

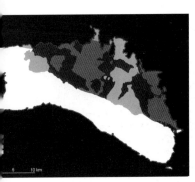

Mapa geológico de Menorca. La peculiar distribución de materiales y unidades geológicas de la isla genera una especie de colcha de retazos hacia el norte y un manto continuo y homogéneo hacia el sur separados por una línea que recorre la isla de este a oeste. Esta distribución se refleja, respectivamente, en dos composiciones de rocas: al norte predominan materiales de la era primaria, silicios y pizarras de una fragilidad muy alta, mientras que el sur está compuesto por una plataforma de rocas sedimentarias de la era terciaria en donde el marés ocupa el mayor espacio.

Geological map of Minorca. The peculiar distribution of materials and geological units on the island generates a sort of bed of fragments in the north and a continuous and homogeneous layer in the south, separated by a line crossing the island from east to west. This distribution is reflected in two kinds of rock: in the north, materials from the primary era predominate –silicon and slate of an extreme fragility–, while the south is made up of a shelf of sedimentary rocks of the tertiary era in which sandstone occupies the greater area.

Casi un 99 por ciento de la composición de la piedra de marés proviene de un cúmulo de fósiles marinos, de aquí el origen de su nombre. Su elevada porosidad, que es proporcional a su grado de dureza, determina tanto su uso en construcción como su extracción. Por un lado, es un factor que deteriora naturalmente la piedra, ya que permite la circulación de fluidos corrosivos en su interior. Pero, por otro, esta estructura estratificada, horizontal o ligeramente inclinada, permite su explotación en cantera.

Almost 99 percent of the composition of the sandstone derives from an accumulation of marine fossils, whence its name, piedra de marés (deriving from mar, or sea). Its high porosity, which is proportional to its degree of hardness, determines its usage in construction work, as well as its extraction. On the one hand, this is a factor that naturally causes the stone to deteriorate, since it permits the circulation of corrosive fluids within it. On the other, this stratified structure, be it horizontal or slightly inclined, permits its quarrying.

En la isla de Menorca, numerosas canteras de piedra de marés han convivido con el entorno rural y urbano en toda la parte sur de la isla. Esta condición se basa en la estructura geológica de la isla, constituida por dos zonas muy diferentes y separadas, de un extremo a otro, por una línea arbitraria. Al norte, zona conocida como La Tramuntana, presenta un suelo muy heterogéneo con diversos materiales que, por su fragilidad, no permiten ser utilizadas en la construcción. Por el contrario, el sur, El Migjorn, presenta un suelo homogéneo formado por una plataforma de roca sedimentaria de la era terciaria, donde el marés ocupa la mayor parte del espacio. Por esta razón constituye el material exclusivo de construcción de la isla.

El marés se forma a partir de una sedimentación compuesta de materiales minerales y elementos marinos. Debido a esta composición, y dependiendo de la zona de extracción o del nivel de profundidad a la que se obtenga cada pieza, las propiedades de dureza del marés pueden variar enormemente. Si la proporción de elementos minerales es mayor, la roca será más dura; mientras que si los elementos marinos son más numerosos, la piedra perderá firmeza. Esta variabilidad condicionará sensiblemente la manipulación del cantero, sobre todo en la extracción manual.

Estas características físicas de la piedra condicionan de gran modo su extracción haciéndola más o menos difícil. La dureza variable del material impide que la explotación se haga sistemáticamente sin antes hacer un sondeo del yacimiento, especialmente si la extracción es manual. Es necesario hacer previamente ciertas extracciones de reducido tamaño para verificar sus propiedades o, de otro modo, se corre el riesgo de fisuras posteriores en el material. En el grado de dificultad de la extracción influye también la porosidad del marés. Si la porosidad es muy alta, puede albergar en su interior una cantidad de fluidos, especialmente agua, y aumentar su peso hasta en un 35 por ciento. Todo requiere más tiempo, es menos cómodo y la producción baja sensiblemente.

La composición geológica del sur de la isla y la imposibilidad de recurrir a otras materias primas para la construcción, hacen que el paisaje se vea sensiblemente afectado por la extracción de marés. Ésta, ya sea mecánica o manual, sigue un proceso específico que no sólo se limita a la acción de extraer el material. Así mismo, cada técnica requiere de sus propias herramientas, maquinarias y movimientos, alrededor de los cuales gravitan numerosas funciones anexas como accesibilidad, transporte o mantenimiento. De este modo, cada proceso imprime una huella característica en el paisaje, condicionada por el modo distinto con que se ha manipulado el terreno.

En la extracción manual, el cantero y la piedra están en contacto directo, y aquél se ajustará al máximo a las leyes de la piedra, con el fin de no malgastar esfuerzos. La labor del cantero partirá de un concepto fundamental: escuchar a la piedra. En primer lugar ahorrará, en la medida de lo posible, el trabajo de eliminación de la capa superficial, la tierra vegetal y la parte de marés mediocre. En el yacimiento propiamente dicho, también dejará de lado la "piedra viva", es decir, bloques compuestos por un mayor porcentaje de cuerpos marinos extraños pero, al mismo tiempo, seguirá su veta, pues alrededor de ella se encuentra el mejor marés. Por último, cuidará de no extraer bloques de piedra defectuosa y tratará de obtener unos bloques que corrijan al máximo el defecto de densidad variable mediante el ángulo de corte. Por sus características, la extracción

Alejandro Bahamón

Making Fragments of Landscape.
Techniques of Extraction and Properties of the Sandstone on the Island of Minorca

La variabilidad de las características físicas del marés, especialmente su dureza y porosidad, repercute en la manera como se utiliza en la construcción. Ciertas piezas son utilizadas estructuralmente, mientras que otras sólo sirven como revestimiento o para realizar elementos decorativos.

The variability of the physical characteristics of the sandstone, especially its hardness and porosity, has repercussions in the way it is used in construction work. Certain blocks are used structurally, while others serve only for facing or for undertaking decorative elements.

Dos impresiones en el entorno de las canteras de s'Hostal: la de la extracción manual, al fondo, se muestra como una sucesión de recintos de pequeña escala, laberínticos y desordenados. La de extracción mecánica, en primer plano, tiene proporciones monumentales, formas ortogonales y mucho más rígidas.

Two different imprints in the s'Hostal quarry area: that of manual extraction, in the background, is seen as a succession of labyrinthine, disordered, small-scale enclaves. That of mechanical extraction, in the foreground, has monumental dimensions, orthogonal and much more rigid forms.

On Minorca numerous quarries of piedra de marés *(sandstone) have coexisted with the rural and urban environment in the south of the island. This factor is based on the geological structure of an island consisting of two very different areas, separated by an arbitrary line extending from east to west. In the north the area known as the Tramuntana possesses an extremely heterogeneous geology, with different materials that, given their fragility, do not permit of their use as building materials. On the other hand, the south, the Migjorn, has a homogeneous geology consisting of a shelf of sedimentary rock from the tertiary period, and in which sandstone occupies the major part of the area. For this reason it constitutes the island's exclusive building material.*

The sandstone is formed from a sedimentation process composed of mineral materials and marine elements. Due to this composition, and depending on the area of extraction or the depth at which each sample is obtained, the properties of hardness of the sandstone can vary enormously. If the proportion of mineral elements is greater, the rock will be harder, whereas if the marine elements are more plentiful the rock will forego firmness. This variability will appreciably condition the handling of the stonecutting, especially in terms of manual extraction.

The physical characteristics of the stone largely condition its extraction, rendering this more or less difficult. The variable hardness of the material prevents any working from being systematically undertaken without first making a sounding of the deposit, especially if the technique of extraction is manual. It is necessary to first undertake extractions on a reduced scale to verify their properties, because if not one runs the risk of subsequent fissures in the material. The porosity of the sandstone also influences the degree of difficulty of its extraction. If the porosity is very high a quantity of fluids, especially water, may be present within it and its weight may increase by up to 35 percent. Everything requires more time, is less convenient, and production levels are markedly reduced.

The geological composition of the south of the island and the impossibility of resorting to other raw materials for construction work means that the landscape is visibly affected by the extraction of sandstone. Be it mechanical or manual, this follows a specific procedure, one which is not just limited to the action of extracting the material. Similarly, each technique calls for its specific tools, machinery and activities, around which gravitate such dependent functions as accessibility, transport and maintenance. In this way each process stamps its characteristic imprint on the landscape, an imprint conditioned by the particular manner in which the terrain has been handled.

In manual extraction, stonecutter and stone are in direct contact and the former will abide by the laws of the latter, the aim being not to waste working time. The stonecutter's labor proceeds from a single notion: listening to the stone. In the first place he will avoid, to the degree that this is possible, the work of eliminating the surface layer, the vegetal ground and the mediocre part of the sandstone. In the deposit per se he will also leave aside the "living rock" –that is, blocks composed of a high percentage of extraneous marine bodies–, yet at the same time he will follow its seam, since one finds the best sandstone around this. Lastly, he will take care not to extract defective blocks of stone, instead trying to obtain blocks that correct to the utmost the defect of variable density by means of the cutting angle. Given its characteristics, manual extraction leaves particular, labyrinthine traces

Las cuevas de la Cala Morell constituyen la necrópolis más importante de las Baleares.

The caves of the Cala Morell form the most important burial ground in the Balearic Islands.

El juego visual ilusorio que ofrecen las escaleras no tiene principio ni fin, ni responde a la llegada del molino en la extracción de marés.

The illusory visual play the stairs present has no beginning or end, nor does it respond to the arrival of the winch in the extraction of sandstone.

Texto elaborado a partir de las publicaciones *Pedreres i Trencadors* de Laetitia Sauleau, de la traducción de los tomos VI y VII de *Die Balearen* del Archiduque Luis Salvador de Austria y de la información gráfica obtenida en las publicaciones *Pedreres de marès* de la fundación Líthica Menorca, *Paisatge de les Pedreres de Menorca* de Rosa Barba, y el máster de Arquitectura del Paisaje de la ETSAB. Fotografías de Marta Elías.

Text based on Laetitia Sauleau, Pedreres i Trencadors; the translation of volumes VI and VII of Archduke Luis Salvador of Austria, Die Balearen; and graphic information from Pedreres de Marès (Fundación Líthica Menorca), Rosa Barba, Paisatge de les Pedreres de Menorca, and the Postgraduate Course in Landscape Architecture at the ETSAB. The photos are by Marta Elías.

manual genera huellas particulares y laberínticas en dos tipos diferenciados: la subterránea y a cielo abierto. La cantera subterránea, además de proteger los campos y los cultivos de encima, ataca directamente el marés bueno. Para evitar el derrumbamiento del terreno, los espacios de extracción raramente sobrepasan los cuatro o cinco metros, tanto de alto como de ancho. La galería de partida se ramifica siguiendo las vetas buenas, serpenteando alrededor de los bloques de piedra viva, en un verdadero espacio tentacular.

Las canteras de extracción manual a cielo abierto generan espacios laberínticos muy similares a los de la cantera subterránea, pero su impacto en el paisaje es mucho mayor ya que la continuidad del territorio se ve interrumpida por las grandes aberturas que produce la extracción. La principal variante espacial de la cantera a cielo abierto se produjo con la aparición del molino, que facilitó la extracción de la piedra. Antiguamente, el cantero tenía que subir la piedra con su propia fuerza, haciendo rodar cada bloque por las aristas y subiéndolo por las escaleras esculpidas en la cantera para este fin. El molino consiste en un tronco de madera que gira sobre su eje, ayudado por otros palos clavados alrededor y que sirven de palancas, donde se acumula una cuerda atada el bloque de piedra. Esta herramienta permitió la extracción de marés a cotas mucho más profundas y cambiar las escaleras esculpidas en la piedra por accesos verticales hasta el fondo del yacimiento.

Una vez detectado el yacimiento, se procede a preparar la zona para la extracción, limpiando la capa vegetal y allanando el terreno a partir del cual se comienza la excavación propiamente dicha. El primer paso consiste en el marcado con el dedo de las regatas paralelas que luego se excavarán con ayuda de la escoda hasta una profundidad de 20 cm, medida que corresponde a la altura de un bloque. Para comenzar a desprender los bloques desde su parte inferior se ha de sacrificar un bloque, picándolo, y, de este modo, abrir la bancada. El desprendimiento de la piedra desde la base es la parte del proceso más delicada ya que aquí es donde las variaciones de densidad y porosidad pueden producir fisuras en el bloque si la fuerza que se ejerce sobre él no es la adecuada. Una vez hecha la fisura, se procede a remover el bloque desde la fisura y hacerlo bascular sobre la arista con ayuda de una palanca y, de este modo, estará listo para ser evacuado por medio del molino.

La extracción mecánica responde a los mismos procedimientos definidos para la manual, sigue el mismo orden y obtiene un bloque similar. Sin embargo, la huella que deja en el paisaje es bastante diferente, debido a los procesos técnicos que lo acompañan y a presiones de la inversión financiera preliminar a la excavación. La máquina trabaja exclusivamente a cielo abierto y el terreno debe ser perfectamente plano, vacío y de grandes proporciones para poder maniobrar con mayor facilidad. Las desviaciones del terreno se corrigen con ángulos rectos y las dimensiones, tanto en extensión como en profundidad, se vuelven monumentales. La principal variación en las formas de la cantera mecánica depende de su accesibilidad. Unas estarán aisladas de la superficie, unidas a ella tan sólo por el cable del montacargas o por escaleras adosadas a las paredes, mientras que, en otras, los camiones llegarán a la misma área de extracción produciendo vías de acceso a la cantera. Debido a que el sistema mecánico permite llegar a mayores profundidades y que la inversión inicial en instalación de infraestructura y vías de acceso es tan grande que impide abandonar la cantera en corto tiempo, la huella producida en el territorio por la extracción mecánica es de proporciones exageradas. En la extracción mecánica, la escoda es reemplazada por la regateadora y el molino por el montacargas. Pero la principal diferencia entre la extracción manual y la mecánica es la relación del hombre con la piedra. El cantero dejará de escuchar la piedra, un diálogo con el paisaje construido durante siglos, para considerar solamente las necesidades de la máquina.

La principal herramienta que utiliza el cantero para la extracción manual es la escoda. Aunque se sirve de otros elementos, con ésta puede examinar el terreno, marcar surcos, cavar o desmontar los bloques. Este pico, de dos puntas aplanadas y cortantes, es su aliado más fiel. La cabeza del estribo está formada por un cuerpo de hierro y dos puntas de acero, que se han de revisar regularmente. Aunque los otros componentes de esta herramienta estén hechos de materiales más vulgares, estas puntas constituyen el nervio de la extracción y su mantenimiento debe ser muy preciso. Por otro lado, el cantero debe tener cuidado también el modo de emplear la escoda, ya que este estribo tiene la particularidad de actuar en un plano oblicuo. En una regata de unos 20 cm de profundidad quizás una desviación sería imperceptible, pero al tocar la pared la desviación se incrementa y las paredes se desmoronarían. Herramientas complementarias, como el *picot*, el *càvec* y las *llaunes*, sirven como complemento de la escoda y ayudan a alisar e igualar los bloques, separarlos entre sí para picar el terreno o graduar el grosor de las regatas.

The main tool the quarryman utilizes for manual extraction is the stonecutter's hammer. Although he employs other tools, with this he can turn over the ground, make grooves, dig for or clear the blocks. This pick, with its two flat cutting edges, is his most faithful friend. The head of the appliance consists of an iron body and two steel tips, which have to be regularly maintained. Although the other components of this tool are made of more commonplace elements, these tips constitute the very basis of the cutting and their maintenance has to be highly precise. On the other hand, the stonecutter must also be mindful of the way of using the hammer, since this appliance has the peculiarity of functioning on an oblique plane. In a channel some 20 centimeters deep a deviation would perhaps be imperceptible, but on touching the wall the deviation increases and the walls would collapse. Additional tools like the pick hammer, the adze and sheets of tinplate serve as a complement to the stonecutter's hammer and help to smooth and equalize the blocks, separate them from each other, and to dig the ground or graduate the thickness of the channels.

in relation to the type of working, either underground or opencast. Aside from protecting the fields and crops above ground, subterranean quarrying attacks the good sandstone directly. In order to avoid the undermining of the ground, the areas of extraction rarely exceed four or five meters in both height and width. The entrance gallery branches out by following the good veins, snaking around the blocks of living rock in a truly tentacle-like space.

The quarries relying on opencast manual extraction generate labyrinthine spaces very like those of underground quarrying, but their impact on the landscape is much greater, given that the continuity of the terrain is interrupted by the extensive fissures the workings produce. The chief spatial variation of the opencast quarry came with the appearance of the winch facilitating the extraction of the stone. Formerly, the stonecutter had to raise the stone using his own muscle power, rolling each block on its sides and raising it via steps cut in the quarry for this purpose. The winch consists of a log of wood that revolves on its axis, aided by other poles fixed to this and functioning as levers, around which there winds a rope attached to the block of stone. This device permitted the extraction of sandstone at much deeper levels and also to replace the steps cut in the rock by vertical shafts extending to the bottom of the deposit.

Once the deposit has been detected, one proceeds to prepare the area for extraction by cleaning away the vegetal layer and leveling the ground from which the digging per se will begin. The first stage consists in marking with a finger the parallel channels, which will then be excavated with the help of the stonecutter's hammer to a depth of 20 centimeters, the measurement corresponding to the height of a block. In order to begin detaching the blocks from their bottom part one has to sacrifice a block by chipping it away, thus opening the bed. The detaching of the stone from the base is the most delicate part of the process, since it is here that variations of density and porosity can produce fissures in the block if the force exerted on it is incorrect. Once the fissure is made, one proceeds to remove the block from the latter, having it tilt on its edge with the help of a lever. In this way it will be ready to be lifted by the winch.

Mechanical extraction follows the same procedures as the manual one, follows the same order and provides a similar block. However, the mark it leaves on the landscape is quite different, due to the technical processes accompanying it and to the pressures of financial outlay prior to the excavation. The machine works exclusively in an opencast context and the terrain must be perfectly flat, empty and of great size in order to be able to maneuver with maximum flexibility. Deviations in the terrain are corrected with right angles, and dimensions, horizontal as well as depth-wise, become monumental. The main variations in the shape of the mechanized quarry depend on its accessibility. Some will be isolated from the surface, linked to it by the cable of the mechanical hoist alone or by stairs backing onto the walls, while in others trucks will arrive to the actual extraction area, producing access routes to the quarry. Due to the fact that the mechanized system allows one to reach greater depths, and to the fact that the initial investment in installing the infrastructure and access roads is so great that it deters any short-term abandonment of the quarry, the mark produced on the terrain by mechanical extraction is of exaggerated size. In mechanized extraction the stonecutter's hammer is replaced by the regrating machine, and the winch by the mechanical hoist. The main difference between manual and mechanical extraction is, however, the relationship between man and stone. The stonecutter will cease listening to the stone, a dialogue with the landscape built up over centuries, in order to focus exclusively on the needs of the machine.

Guillem Coll, Rosa Barba, Francesc Florint

El paisaje de las canteras de Menorca

Cantera de Alcaufar, Menorca.
Quarry in Alcaufer, Minorca.

Cantera romana de El Mèdol, Tarragona.
Roman quarry in El Mèdol, Tarragona.

La transformación del espacio urbano y rural con las construcciones tradicionales de marés va ligada a la intervención y modificación del paisaje producido por las manos del hombre. Un espacio es vaciado para ocupar otro. Estos no-edificios, configurados de manera inconsciente, conforman unos espacios arquitectónicos teatrales, escultóricos, lúdicos; obligados testimonios de un oficio antiguo, las canteras abandonadas nos revelan elementos habituales de nuestro paisaje.

Guillem Coll

Para los que procedemos del campo de la arquitectura, las canteras contienen el deseo y la promesa, la voluntad y la acción de la construcción de los espacios humanos en las arquitecturas más antiguas y permanentes. Son ahora espacios que, cuando subsisten en el tiempo, maravillan por su grandeza, especialmente cuando, ya separadas de su utilidad, son invadidas por la naturaleza.

Sin tener que ir hasta Menorca, pensemos en El Mèdol, la cantera romana de Tarragona. ¿Es o no un espacio arquitectónico? ¿Fue construida para acoger una actividad? Ha estado moldeada por la mano del hombre y, en cambio, abandonada a las inclemencias del tiempo. Ha quedado sujeta, como cualquier espacio natural, a la transformación de los factores ambientales. Y así, se ha producido un lugar donde reconocemos la huella del hombre al lado de la fuerza de la naturaleza. Aquí hay, por esto, por el desuso manifiesto en las formas espaciales de las canteras, un territorio que permite plantearse la cuestión del origen de la forma.

Las canteras, recalcamos una vez más, nos sitúan en paisajes que están en el límite entre lo natural y lo construido, donde los efectos de la luz y el contraste de las sombras se suceden en episodios espaciales creados y provocados tanto por las acciones humanas como por las condiciones naturales. Siempre podremos identificar esta tensión mágica que nos hace hablar de las cuestiones estéticas y del arte. ¿La luz filtrándose en las canteras de Robadones, no nos recuer-

The Landscape of the Minorca Quarries

Guillem Coll, Rosa Barba, Francesc Florint

Cantera de Santa Ponça.
Quarry in Santa Ponça.

Piranesi, *Vedute di Roma,*
interior del Coliseo.
Piranesi, Vedute di Roma,
interior of the Colosseum.

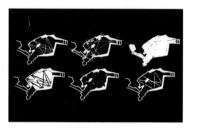

Estudio de relaciones
visuales y recorridos para
la cantera de Santa
Ponça en Menorca.
Patricia Pérez.
Patricia Pérez. Study of
visual relationships and
paths for the Santa
Ponça quarry in Minorca.

The transforming of the urban and rural space with traditional sandstone buildings is linked to the intervention and modification of the landscape produced at the hands of man. One space is emptied in order to occupy another. These non-buildings, fashioned in an unconscious way, shape a series of theatrical, sculptural, ludic architectonic spaces; unavoidable testimonies of an ancient profession, the abandoned quarries reveal habitual elements of our landscape to us.

Guillem Coll

For those of us coming from architecture, quarries contain the desire and the promise, the will and the act of constructing human spaces in more ancient and permanent architectures. Today they are spaces that, when they subsist in time, are breathtaking in their grandeur, especially when, severed from their use value, they are invaded by nature.

Without going as far as Minorca, think of the Mèdol, the Roman quarry in Tarragona. Is it or isn't it an architectonic space? Was it constructed to entertain a purpose? It has been molded by the hands of man, and yet abandoned to the inclemency of the weather. It has remained subject, like any natural space, to the transformation of environmental factors. A location has been produced, then, in which we recognize the trace of man alongside the forces of nature. Here, due to this, due to the disuse evinced in the spatial forms of quarries, there is a territory that enables us to pose the question of the origins of form.

Quarries, we repeat, situate us in landscapes that are midway between the natural and the built, where the effects of the light and the contrast of the shadows succeed each other in spatial situations created and provoked by both human actions and natural conditions. We will always be able to identify this magic tension which makes us to speak of aesthetic concerns and of art. Doesn't the light filtering into the Robadones quarries remind us of Piranesi's engravings?

da los grabados de Piranesi? Material, pues, para trabajar sobre el origen de la forma…

Estudiando esto, y mirando Menorca y sus magníficas canteras abandonadas a ras de tierra, quisiera concluir que las canteras son la pregunta mil veces formulada de cómo reconsiderar nuestro trabajo inmersos en la que ahora es nuestra ciudad territorio, la de las periferias interiores y exteriores, de tejidos discontinuos, y las más o menos obligadas canteras que, desde ahora, habrán de formar parte de la caja de labores con que hemos de contar para terminar de construir nuestros territorios.

Rosa Barba

Las canteras de marés como arquitectura: modos de ver la cantera.

La primera concepción es la tradicional. La cantera es vista primero como un lugar de trabajo artesanal y luego industrial…

La segunda aparece con el movimiento romántico de investigación de la identidad histórica y preocupado por la conservación del legado de la historia. Entiende la cantera como elemento etnológico digno de estudio y como patrimonio monumental.

La concepción contemporánea, consecuencia de la segunda, pretende la reconversión de las canteras para otra función social distinta a la otorgada hasta ahora. Este concepto responde a las necesidades culturales de la sociedad del ocio actual. La cantera es vista, así, desde tres perspectivas: como paisaje específico, como espacio arquitectónico y como escultura monumental. Las canteras son consideradas como espacios singulares de encuentro social, cultural, artístico y, sobre todo, contemplativo. Ya no basta una actitud de conservación porque sabemos que todo aquello que no se usa pierde el sentido y muere. Por este motivo, la rehabilitación resulta fundamental.

Francesc Florint

Textos seleccionados por Alejandro Bahamón a partir de la publicación homónima editada por Rosa Barba y el máster de Arquitectura del Paisaje de la ETSAB sobre el taller de intervención en las canteras de marés de Menorca 1996-1997.

Catálogo de puntos de valor esté-
tico y comunicacional de Santa
Ponça, Menorca. Patricia Pérez.
*Cataloguing of points of aesthetic
and communicational value in
Santa Ponça, Minorca.*

Plataforma del teatro en la cantera de s'Hostal, Menorca. Roser
Bellera.
*Roser Bellera. Theater stage in
the s'Hostal quarry, Minorca.*

*Texts selected by Alejandro
Bahamón the book of the
same title edited by Rosa
Barba, and the Postgraduate
Course in Landscape
Architecture at the ETSAB on
the workshop into intervening
in the sandstone quarries of
Minorca, 1996-1997.*

*Material, then, for working on the origin of
form...*
*Studying this, and with an eye to Minorca
and its magnificent quarries abandoned at
ground level, I'd like to end up saying that
quarries are the oft-formulated question of
how to rethink our work, immersed as we
are in what is now our city-territory. One of
interior and exterior peripheries, of discon-
tinuous fabrics, the more or less obligatory quarries will henceforth have to form
part of the set of tasks we have to grapple
with in order to finish constructing our
territories.*

Rosa Barba

*The sandstone quarries as architecture:
ways of seeing the quarry.*
*The first conception is the traditional one.
The quarry is first seen as a place of artisanal, and then industrial, work...*
*The second appears with the Romantic
movement of investigating historical identity,
one preoccupied with conserving the legacy
of history. It understands the quarry as an
ethnological element worthy of study, and as
a monumental heritage.*
*The contemporary conception, an outcome
of the second, aims at the conversion of the
quarries for some social function other than
that provided hitherto. This concept res-
ponds to the cultural needs of current leisure society. The quarry is thus seen from
three angles: as a particular landscape, as
an architectonic space, and as a monumental sculpture. The quarries are considered as
unique spaces of social, cultural, artistic
and, above all, contemplative encounter. A
conservationist attitude is no longer sufficient, because we know that everything that
isn't used loses meaning and dies. For this
reason rehabilitation is essential.*

Francesc Florint

The Landscape of the Minorca Quarries

John Glew

Canteras de Santa Lucia, Caserta, Italia

El entorno de las canteras de piedra caliza de Santa Lucia ha sido afectado por un amplio rango de edificios que, a lo largo de su historia, han incidido en el territorio. Cada uno de ellos, desde el monasterio construido con la misma piedra de la cantera hasta el edificio central de hormigón armado, tiene su propia presencia entre el entorno natural y la topografía moldeada por el hombre. El proyecto no pretende reemplazar las fuertes relaciones creadas entre artificio y naturaleza con modelos preexistentes que, en este caso, se consideran inapropiados para la intervención. Durante generaciones, esta porción de territorio ha sido explotada poniendo en evidencia el blanco cimiento del paisaje y permitiendo hacer una lectura geológica de Caserta. Implementando el acceso al público y gracias a ciertas actividades comerciales, a través de un limitado desarrollo comercial, la propuesta pretende respetar estas características compositivas y convertir el lugar en parte del dominio público de la región: un parque inhabitado, abierto al público, que albergue usos públicos y comerciales.

El trabajo de transformación que se propone requiere de un desarrollo y una estrategia sensibles. El lugar debe servir como simple espacio para paseos, así como posible punto de interés turístico, integrado a un circuito panorámico sobre la planicie napolitana. Se propone la introducción de tres intervenciones de pequeña escala como parte de este nuevo sistema de acceso peatonal: una pequeña estructura de aparcamiento que marca el límite de este nuevo espacio público, una amplia rampa panorámica ubicada justo debajo del café y el área de exhibición junto a una segunda rampa, más angosta, que conecta la cantera con el área habitada bajo la colina.

La seguridad es un aspecto fundamental a integrar en el proyecto. La estabilidad de la piedra, especialmente en los acantilados producidos por las excavaciones, debe ser analizada y controlada. La nueva trama peatonal que se propone señala una variedad de rutas y sirve de soporte a la idea de un acceso abierto y seguro a la cantera.

El paisaje propuesto, y cada edificio que lo compone, es el resultado del diálogo con las estructuras existentes y una oportunidad para proveer espacios que acojan una variedad de programas de uso público. Este hecho permite considerar a esta cantera como prototipo para la recuperación de otras canteras de la región con características similares. Los resultados no serán los mismos, pero el proceso de ensamblaje y la estructura de reintegración con el paisaje circundante puede ser usado como modelo.

FICHA TÉCNICA:
Autor: John Glew.
Colaborador: Peter Beard, Marie Brunborg, Pier-Luigi Chinellato y Barbara Chinellato.
Ingeniería: Jane Wernick.
Maquetas: Peter Lee.
Emplazamiento: Cantera de Santa Lucía, Caserta, Italia.
Convocantes del concurso: Autoridades de Bachino. Ministerio Italiano para la Recreación y el Ocio.

John Glew

Vista panorámica de la cantera.
Panoramic view of the quarry.

The Santa Lucia Quarries, Caserta, Italy

The environs of the Santa Lucia limestone quarries have been affected by a long line of buildings that, during the course of its history, have impinged on the territory. Each of these, from the monastery constructed with the same quarry stone to the central building of reinforced concrete, has its own presence in the natural environment and topography molded by man. The project does not seek to replace the strong rapport created between artifice and nature with preexisting models that, in this instance, are considered inappropriate for the intervention. For generations this bit of territory has been worked, making the basic whiteness of the landscape clear and permitting a geological reading of Caserta to be made. By facilitating public access, and thanks to certain commercial activities, the proposal aims, through limited commercial development, to respect these compositional characteristics and to convert the location into part of the public domain of the region: an inhabited park, open to the public, that houses public and commercial uses.

The work of transformation being proposed requires sensitive development and a coherent strategy. The location has to serve as a simple space for walking, as well as a possible point of tourist interest integrated into a panoramic tour across the Neapolitan plain. The introduction is proposed of three small-scale interventions as part of this new system of pedestrian access: a small parking structure that marks the boundary of this new public space; a wide panoramic ramp located just below the café; and the exhibition area beside a second, narrower ramp that connects the quarry with the inhabited area down the hill.

Safety is a basic feature to be built into the project. The stability of the stone, especially in the cliff-faces produced by the workings, must be analyzed and controlled. The proposed new pedestrian layout highlights a variety of routes and underpins the idea of safe, open access to the quarry.

The proposed landscape, and each building constituting it, is the result of a dialogue with the extant structures and presents an opportunity to provide spaces which accommodate a variety of public use programs. This fact permits one to consider this quarry as a prototype for the rehabilitation of other quarries in the region having similar characteristics. The results will not be identical, but the process of assemblage and the structure of reintegration with the surrounding landscape may be used as a model.

TECHNICAL DATA:
Author: John Glew.
Collaborators: Peter Beard, Marie Brunborg, Pier-Luigi Chinellato and Barbara Chinellato.
Engineering: Jane Wernick.
Models: Peter Lee.
Location: Santa Lucia Quarry, Caserta, Italy.
Convokers of the competition: Local authorities of Bachino. Italian Ministry for Recreation and Leisure.

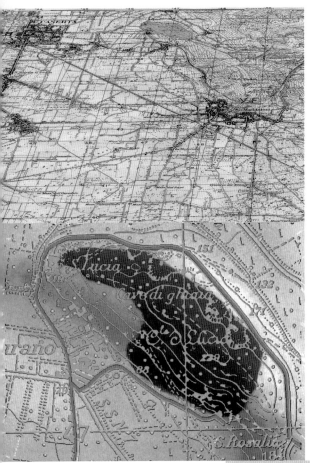

Situación de la cantera de Santa Lucia, al este de Caserta.
Location of the Santa Lucia quarry to the east of Caserta.

Vías de acceso a la cantera.
Access roads to the quarry.

Sistematización conceptual de los edificios existentes y de las estructuras con espacios definidos.
Conceptual systematization of the existing buildings and the structures with defined spaces.

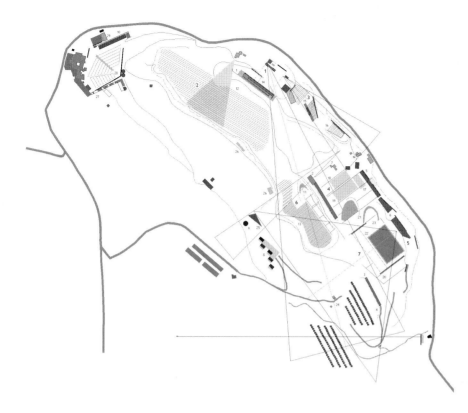

1. Aparcamiento de hormigón prefabricado e *in situ* y plaquetas.
   Car park of concrete pre-cast and in situ, and plaquettes.
2. Rampa mecánica *Mechanical ramp.*
3. Recomposición de muros de contención en caliza y hormigón.
   Remaking of retaining walls in limestone and concrete.
4. Camino excavado en la roca proveniente del aparcamiento/olivar.
   Path excavated in rock originating in the car park/olive grove.
5. Caballerizas *Stables.*
6. Restaurante/bar *Restaurant/bar.*
7. Bar para niños/villa *Snack bar for kids/villa.*
8. Hostal "Le torri di Bologna" *"Le torri de Bologna" boarding house.*
9. Hotel/casino *Hotel/casino.*
10. Seminario del monasterio/refinería *Monastery seminary/refinery.*
11. Canal de drenaje y pantano hidroeléctrico/pozo.
    Drainage channel and hydroelectric dam/well.
12. Plaza seca; aparcamiento/teatro/cine al aire libre.
    Dry plaza; parking lot/theater/open-air cinema.
13. Plaza lujuriosa; cosecha verde con pozo artesiano.
    Sensual plaza; unripe harvest with artesian well.
14. Sentarse, "mirar", levantarse *To sit down, "look", get up.*
15. Jardín de caliza para niños *Limestone garden for kids.*
16. Jardín de recogida de calizas *Garden for collecting bits of limestone.*
17. Pista de doma de caballos *Horse training track.*
18. Campo de equitación *Riding paddock.*
19. Pista de calentamiento para caballos *Warm-up track for horses.*
20. Canales de drenaje *Drainage channels.*
21. Rampa para bicicletas; arco en ruinas *Bicycle ramp; arch in ruins.*
22. Campos de deporte con pozo artesiano *Sports fields with artesian well.*
23. Pistas de vóleibol y baloncesto *Volleyball and basketball courts.*
24. Olivar/aparcamiento *Olive grove/parking lot.*
25. Paredes para escalada *Practice walls for rock-climbing.*
26. Espacios para acampar *Spaces for camping.*
27. Escalinata del monasterio *Monastery steps.*
28. Viña del monasterio/jardín *Monastery vineyard/garden.*
29. Espacio público para el seminario/edificios agrícolas.
    Public space for the seminary/farm buildings.

Elementos de definición del espacio: ***Elements of spatial definition:***

1. Plaza de límites definidos *Plaza with defined boundaries.*
2. Estanque excavado en el terreno *Reservoir excavated in the ground.*
3. Terrazas poco accesibles al público *Terraces barely accessible to the public.*
4. Plataforma habitada sobreelevada *Inhabited raised platform.*
5. Terraza panorámica *Panoramic terrace.*
6. Nivel superior *Upper level.*

"Una manera de añadir contenido al ya existente es a través del análisis y la asimilación de los componentes medioambientales: límites, bordes, edificios y caminos, toda la fisionomía del lugar. El lugar se redefine, no se representa".
Richard Serra

"One way of adding to the existing content is through analyzing and assimilating environmental components: boundaries, edges, buildings, paths, the entire physiognomy of the site. The site is redefined, not represented".
Richard Serra

"La arquitectura y el paisaje comparten la misma operación al reconfigurar la materia moviéndose a su alrededor".
Peter Latz

"Architecture and landscape share the same operation in reconfiguring matter by moving it round about".
Peter Latz

Vista parcial de la cantera desde el extremo noroeste.
Partial view of the quarry from the northeast corner.

Pavimento de la plaza de Caserta con piedra de Caserta.
Paving of the piazza in Caserta with Caserta stone.

Maqueta de los siete "espacios encontrados" en el interior de la cantera.
Model of the seven "found spaces" inside the quarry.
1. Plaza/espacio de llegada.
   Defined piazza/arrival space.
2. Estanque vacío excavado/campo seco bajo/ópera/cine, escenario.
   Empty, excavated pool/power dry field/opera/cinema, stage.
3. Lugar íntimo/jardín de rocas.
   Private place/rock garden.
4. Tarimas elevadas y habitadas/espacio público de actividades.
   Inhabited raised platforms/public activity space.
5. Panorámica extendida, cornisa excavada/terraza.
   Extended panorama, excavated ledge/terrace.
6. Estanque poco profundo/campo verde
   Shallow pool/green field.
7. Meseta superior/campo de deporte
   Upper plateau/sports field.

The Santa Lucia Quarries, Caserta, Italy

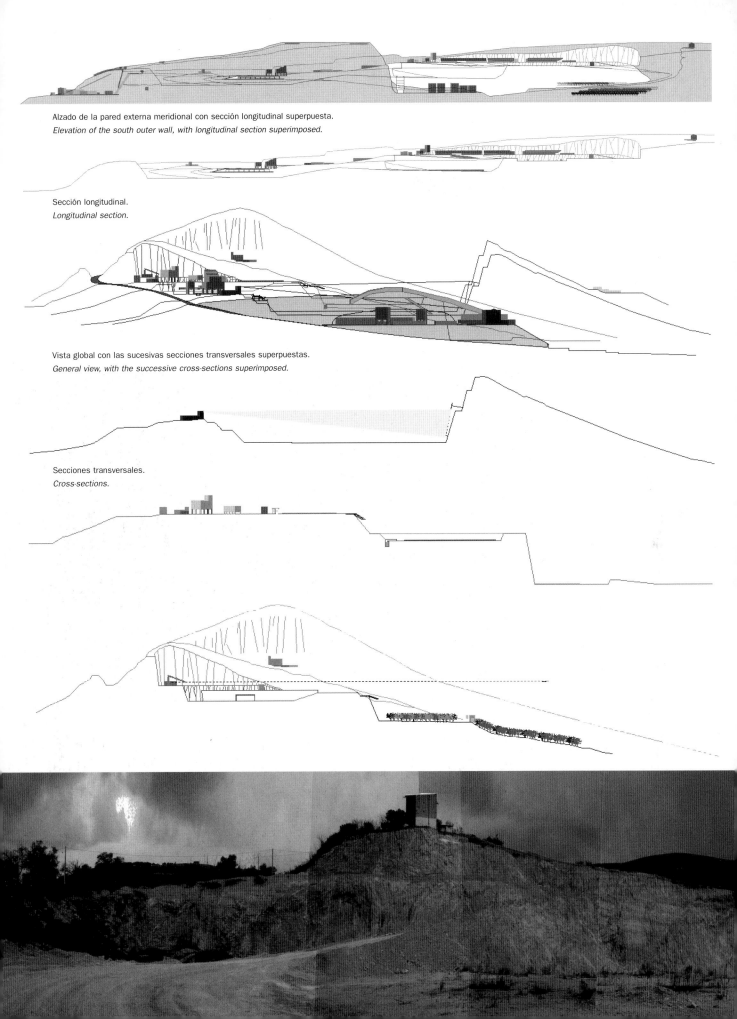

Alzado de la pared externa meridional con sección longitudinal superpuesta.
Elevation of the south outer wall, with longitudinal section superimposed.

Sección longitudinal.
Longitudinal section.

Vista global con las sucesivas secciones transversales superpuestas.
General view, with the successive cross-sections superimposed.

Secciones transversales.
Cross-sections.

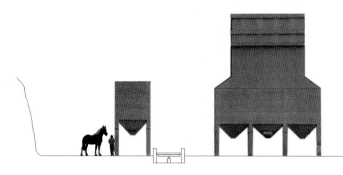

Sección de la estructura del aparcamiento para el cine y el teatro al aire libre.
Section of the parking structure for the cinema and open-air theater.

Vista de la plaza de acceso.
View of the entrance piazza.

Vista panorámica a lo largo del nivel inferior (extremo norte).
Panoramic view along the lower level (northern edge).

Extraído de: Maurici Pla, "La consagración de la primavera: Land Art y el pensamiento salvaje", en *2G Revista Internacional de Arquitectura*, 3 (*Landscape Architecture. Estrategias para la construcción del paisaje*), Barcelona, 1997, págs. 114-123.

Extract from Maurici Pla, "The Rite of Spring: Land Art and Savage Mind", in 2G International Architecture Review, 3 (Landscape Architecture: Strategies for the Construction of Landscape), Barcelona, 1997, pp. 114-123.

El lenguaje de las piedras
Maurici Pla

Andy Goldsworthy. *Arch*, 1992. Blaenau Ffestiniog, Gales, Reino Unido. Fotografía: Andy Goldsworthy.

Andy Goldsworthy, Arch, 1992. Blaenau Ffestiniog, Wales, UK. Photo: Andy Goldsworthy.

Ian Hamilton Finlay. *Garden Temple*, Little Sparta.

Ian Hamilton Finlay, Garden Temple, Little Sparta.

Las propuestas del *land-art* buscan la superación de la alienación de lo primitivo, el equilibrio del hombre y la naturaleza, entre el diálogo y el juego alternativo de dominios, de sumisiones mutuas.

Las bases para emprender esta tarea, de orden estrictamente estético, parten de ciertos criterios relativos a los principales caracteres de las piedras y las rocas: su consistencia material, sus disposiciones geométricas, su dimensión vital y sus connotaciones lingüísticas.

En los paisajes de Hamilton Finlay, el diálogo, estético y estructural piedras-hierba parece conducir a una situación privilegiada, la del reposo gravitatorio.

La desacralización operada mediante la manipulación estructural "de piedras y rocas" podría ofrecer ya un indicio de lo que es el *imunu*, una *fuerza* en el sentido más físico del término, una tensión o una capacidad de soporte que constituye el meollo de las tormentas o los volcanes. Lo que hace que los ríos desbocados o los huracanes no puedan ser dominados; naturaleza que desborda las posibilidades de su dominio lingüístico.

En todos ellos, la dimensión estructural no presupone el reposo como una situación obvia y nunca va ligada a leyes aprehendidas, sino a la experiencia concreta con cada piedra y el diálogo con el hombre que le ha robado su *imunu*.

Las pautas reguladoras del mundo geométrico que ordena estos paisajes están obviamente contenidas en las formas de la misma naturaleza. Un "arte de la tierra" deberá sonsacarlas y apropiarse de ellas. Conseguir, "forzar" operaciones o maniobras que den pie a un universo geométrico que hable el mismo lenguaje de la tierra, el lenguaje del *imunu*.

Ian Milton Finlay se ha ocupado, ya desde finales de los sesenta, de la dimensión lingüística de la construcción de paisajes y, en general, de su dimensión más ideológica. En Little Sparta, su universo personal, las piedras con inscripciones se diseminan por doquier. En una de ellas se lee: ON THE PATH OF LANGUAGE THERE ARE WILD FLOWERS; CONSONANTS AND VOWELS (En el sendero del lenguaje hay flores silvestres; consonantes y vocales). Al tiempo que celebra la dimensión lingüística de las flores salvajes, Hamilton Finlay reduce los mínimos elementos del lenguaje de las palabras a las consonantes y a las vocales, negando de ese modo toda sintaxis o toda semántica establecidas, y proponiendo una especie de grado cero a partir de ese mínimo código letrista. En otra de las inscripciones se puede leer: THE PRESENT ORDER IS THE DISORDER OF THE FUTURE: SAINT-JUST (El orden presente es el desorden del futuro: san Justo). Hamilton Finlay se divierte flirteando con la tradición clásica en un diálogo de gusto surrealista, lleno de ambigüedades y poblado de mensajes herméticos.

El lenguaje de la mirada, el de las palabras y el de las flores salvajes participan pues de la misma sintaxis que Hamilton Finlay mezcla sin dificultades al servicio de un mensaje único, un mensaje que jamás queda explicitado, puesto que ninguna forma de literalidad sería capaz de hacerlo. Hamilton Finlay nos hace entrar en un juego de paradojas donde las incógnitas contenidas en ellas parecen recordar la inaccesibilidad del *imunu*, la imposibilidad de reducir el *imunu* a la transparencia de un lenguaje.

La naturaleza, recreada en sus aspectos visuales, por medio de representaciones que siempre son estéticas, sólo permite una celebración que es sorda y muda.

La capacidad de estos paisajes para transmitir una energía parece provenir del potencial místico de esas piedras, que se trasvasa a quien consigue dominarlas sin que ellas dejen de poseerla y que vuelve a ellas después de que la primera profanación (el procedimiento estético) toma ya el carácter de una celebración.

Sólo los "golpes de martillo sobre piedras y rocas" de los europeos, origen de una relación utilitarista con la naturaleza, son capaces de matar la energía de las piedras al tiempo que su lenguaje. Así, lo que estaría intentando transmitir el lenguaje profano de la mirada sería precisamente el *imunu*, aquello que había sido captado por las piedras y, que para obtener una representación fidedigna, obligaría a preservar su fuerza a través de una transfiguración que, sólo podría ser estética, desprovista de cualquier vestigio de razón. De ese modo permitiría que el *imunu* circulara por fin de la mirada a las piedras y de las piedras a la mirada, mediante el lenguaje puro de los sentidos.

Land Art schemes are proposed to overcome the very alienation of the primitive, deriving from the configuration of an unstable balance between man and nature, as a representation of a dialogue that can only be an alternative game of dominos and of mutual submission. The basic requirements for undertaking this task, which are of a strictly aesthetic order, proceed from certain criteria relative to the main characteristics of stones and rocks: their material consistency, their geometrical arrangement, their vital dimension and their linguistic connotations. In the landscapes of Hamilton Finlay, for example, the aesthetic and structural dialogue between stones and grass appears to lead to a privileged and stable situation, the one most specific to gravitational rest. Thus, a desacralization performed by means of the structural manipulation "of stones and rocks" can already provide an indication of that which is imunu: a force in the most physical sense of the term, a supporting tension or capacity that constitutes the very essence of storms or volcanoes, the same impulse that means that overflowing rivers or hurricanes cannot be dominated: various manifestations of Nature that completely overwhelm any possibility of its linguistic mastery. In all these instances, the structural dimension of formal configurations does not presuppose repose as an obvious situation, and is never linked to some preconceived laws, but rather to direct experience of each stone and to its dialogue with the man who has contrived to make off with the imunu. To be sure, the geometrical norms that usually order those landscapes are already contained in the forms of Nature herself. For that reason an "art of the land" will have to draw the secret from those norms and appropriate them for itself, it will have to "force" certain operations and maneuvers that give rise to a geometrical world capable of speaking the same earth language, the language of imunu.

Ian Hamilton Finlay has occupied himself since the end of the 1960s with the linguistic dimension of constructing landscapes and, in general, with its more ideological dimension. In Little Sparta, his personal universe, stones with inscriptions are scattered all over the place. On one of them we read, ON THE PATH OF LANGUAGE THERE ARE WILD FLOWERS, CONSONANTS AND VOWELS. At the same time as he celebrates the linguistic dimension of wild flowers, Hamilton Finlay reduces the minimum elements of the language of words to consonants and vowels, thus negating all established syntax or semantics, and proposing a kind of zero degree from that same Lettrist code. In another of the inscriptions we read: THE PRESENT ORDER IS THE DISORDER OF THE FUTURE, SAINT-JUST. Hamilton Finlay amuses himself by flirting with the classical tradition in a Surrealist-style dialogue full of ambiguities and suffused with hermetic messages. The language of the gaze, of words and of wild flowers thus partake of a single syntax, which Hamilton Finlay mixes without difficulty in the service of a unique message, a message that is never explained, since no form of literalness would be capable of doing so. Hamilton Finlay has us enter into a game of paradoxes in which the incognitos contained in the latter seems to recall the inaccessibility of imunu, the impossibility of reducing the imunu to the transparency of a language. Recreated in this way in its visual aspects through representations that are forever aesthetic, Nature only permits a celebration that is necessarily deaf and mute. The ability of these landscapes to transmit Energy seems to come from the mystical potential of these stones, which is decanted to whosoever manages to dominate them without the stones ceasing to possess it, and which returns to them after the first profanation (the aesthetic process), which thus assumes the quality of a celebration. Only the "hammer blows on stones and rocks" of the old Europeans, the origin of a utilitarian relationship with Nature, are capable of annihilating the Energy –and the language– of stones. Hence, what the profane language of the gaze would be trying to transmit is precisely the imunu, that life and that beauty magically subsumed by stones, and which in order to attain a trustworthy representation oblige one to preserve their force via a transfiguration that could only be aesthetic, devoid of any vestige of utilitarianism. Only in this way is it possible that imunu could finally circulate from gaze to stones and from stones to gaze, simply through the pure language of the senses.

Ilan Hamilton Finlay. Planta del monumento.
Ian Hamilton Finlay. Plan of the monument.

Ian Hamilton Finlay. Inscripción elegíaca en la Upper Pool de Little Sparta, 1975.
Ian Hamilton Finlay. Elegiac Inscription on the Upper Pool in Little Sparta, 1975.

Paisaje devastado por
minas a cielo abierto.
*Landscape devastated by
open-cast mining.*

El triángulo negro. CSA. Podrusnohori, región a los pies de las montañas mineras de la República Checa, forma el vértice oeste del desgraciado TRIÁNGULO NEGRO, el territorio más devastado de Europa, frontera con Sajonia (Alemania) y Polonia. Porciones completas de este territorio se encuentran totalmente devastadas por las explotaciones y procesado de carbón (250 km^2 de paisaje devastado en minas a cielo abierto), los recursos acuíferos se han transformado: se han

Lom Bilina. República
Checa. La esperanza de
vida media en Podrusnohori
es siete años menos que la
media europea.
*Lom Bilina, Czech Republic.
The average life expectancy
in Podrusnohori is 7 years
lower than the European
figure.*

The Black Triangle. Czech Republic. Podrusnohori, a region in the foothills of the Ore Mountains, forms the western tip of the infamous "Black Triangle", Europe's most devastated region, which juts out into Saxony and Poland. Whole sections of this territory are completely ravaged by coal mining and processing (250 sq km of landscape devastated by open-cast mining), the water regime has been chan-

Witznitz, sur de Leipzig,
Sajonia, Alemania. Mina a
cielo abierto.
*Witznitz, south of Leipzig,
Saxony, Germany. Open-
cast mine.*

destrozado lagos y ríos y los arroyos han sido desviados. Los bosques, que en su día cubrían la
región, han muerto a causa de la lluvia ácida y los gases producidos por la combustión de carbón en estaciones transformadoras y plantas químicas. Gran parte del desastroso entorno vital
se debe a la explotación de carbón, que ha provocado una contaminación de la atmósfera 15 a
20 veces superior a la normal, a menudo durante 120 días al año. La población de la región

República Checa. Paisaje
,devastado por minas a
cielo abierto.
*Czech Republic. Landscape
devastated by open-cast
mining.*

ged, lakes destroyed and rivers and streams diverted. Forests once covering the region are dead from acid rain and fumes from coal-burning stations and chemical plants. Much of the disastrous living environment is due to coal mining; air pollution is 15-20 times higher than the norms allow, sometimes for 120 days a year. The 500,000 people living in the region suffer from allergies, lung disease and

República Checa. En 1990 el país exportó dos millones de toneladas de turba, exportación que subió a 4,5 millones en 1993 y, un año más tarde, sobrepasó los seis. Cerca de la central de Tusimice y la mina de mercurio a cielo abierto.

Czech Republic. In 1990 the Czech Republic exported 2M tons of peat, its exports rising to 4.5M tons in 1993 and over 6M tons a year later. Near the power plant at Tusimice, and the open-cast mine of Merkur.

(medio millón de habitantes) padece, entre otros males, alergias y enfermedades pulmonares. Hay muy pocos lugares en el mundo donde la culpa del hombre por la destrucción de la Tierra sea tan evidente como en el noroeste de Bohemia, en la República Checa. Lo malo es que el medio ambiente devastado irradia más allá de las fronteras del país, aumentando la contaminación en toda Europa, e incluso en el mundo.

República Checa. El curso del río Bilna se ha cambiado 65 veces. Lago en un área de vertidos en Radovesicka.

Czech Republic. The course of the Bilna River has been changed 65 times. A lake in a dumping area in Radovesicka.

other ailments. There are few places in the world where man's responsibility for &
destroying the Earth would be so obvious as here in northwestern Bohemia, in the
Czech Republic. The worst thing is that this devastated environment radiates far
beyond the country's borders, adding to the pollution of the environment all over
Europe, and all over the world.

No horadan por igual la tierra unas bombas dejadas caer del cielo que las sacudidas convulsas de un terremoto. No se amontonan por igual los escombros en un paisaje después de la batalla que tras el paso de un tornado; y la diferencia esté, quizás, en el hecho de la intervención o no, de una máquina.

La construcción y destrucción del paisaje se va conformando siempre por debajo o por encima de una rasante. A la substracción sigue el consiguiente amontonamiento de lo substraído. En un aparente equilibrio final, la explotación de la tierra y de sus recursos naturales por la industria se habría transformado en grandes y fulgurantes ciudades. Sin embargo, el incesante rugir de mecanismos y de máquinas en búsqueda de energía y materia deja también a su paso montones de chatarra. Las viejas fábricas anticuadas se quedarán ahí, a un lado, apartadas del flujo de la construcción, condenadas a convivir con el vertido contaminante de su acción y a mostrar sus mastodónticas dimensiones en absoluta quietud, en una imagen oxidada y silenciosa del absurdo. La misma visión se debía contemplar en cualquier campo de batalla tras el abandono de lanzas, de armas y de cuerpos de soldados abatidos mientras avanzaban como máquinas programadas para el sin-regreso.

Bombs dropped from on high don't pierce the earth's crust in the same way as the convulsive tremors of an earthquake. The bits of debris in a landscape after the battle don't pile up in the same way as after the passage of a tornado; and the difference perhaps lies in the fact that a machine has, or hasn't, intervened.

The construction and destruction of the landscape is always defined above or below a grade line. After subtraction comes the subsequent piling up of the subtracted material. In a seemingly final equilibrium, the exploitation of the earth and of its natural resources by industry would have been transformed into shiny big cities. Nevertheless, the incessant roar of mechanisms and of machines in search of energy and matter also leaves mountains of junk behind it. Old, antiquated factories will remain right where they are, to one side, cut off from the flux of construction, condemned to coexist with the contaminating refuse of its activity and to display their colossal dimensions in complete quietude, in an oxidized and silent image of the absurd. The same vision could be contemplated on any battlefield after the abandonment of lances, of arms and of the bodies of soldiers cut down while they were advancing like machines programmed for the non-return.

Francisco Goya, *Tanto y más* de la serie de grabados *Los desastres de la Guerra*, 1810.

Francisco Goya, So Much and More, from the etching series The Disasters of War, 1810.

Uno de los temas favoritos entre los pintores del renacimiento, y que recoge Rubens, es el intento de Venus de retener a un Marte dispuesto para la guerra.[1] Tal como vemos en el boceto preparatorio del lienzo pintado en el taller de Rubens, una Venus conciliadora sale al encuentro de un Marte que parte hacia la batalla. Mientras su mano sujeta las bridas del caballo, el brazo desnudo de Venus trata de retenerle. Es precisamente su desnudez la que se opone a las aparatosas armaduras que exhibe Marte. A los estandartes alzados al cielo se oponen también los desfallecidos velos que envuelven a Venus. Sin embargo, quizás podamos hacer la lectura inversa y sea precisamente la mirada de Marte la que sueña con una Venus redentora, una Venus que le recuerda que la verdadera batalla es la que se libra después de la destrucción, cuando la vida lucha por resurgir de entre los escombros.[2]

La desnudez de los cuerpos de los muertos que Francisco Goya graba en 1810 en una

A favorite theme among Renaissance painters, and one which Rubens reworks, is Venus' attempt to detain a Mars disposed for war.[1]

As we see from the preparatory sketch for the canvas painted in Rubens' workshop, a conciliatory Venus comes to meet a Mars who is setting off to do battle. While his hand grips the horse's reins, the naked arm of Venus tries to hold him back. It is her very nudity that stands in opposition to the ostentatious armor Mars is sporting. To the banners rising into the sky there also stands opposed the limp veils shrouding Venus. For all that, we might perhaps make the opposite reading, since it is precisely Mars' gaze that dreams of a redemptive Venus, a Venus that reminds him that the true battle is the one that is waged after the destruction, when life struggles to spring up once more among all the debris.

Rubens, *Venus intenta retener a Marte*, boceto. Louvre, París. Óleo sobre madera, 1634-1636.

Rubens, Venus Attempts to Detain Mars, sketch. Louvre, París. Oil on wood, 1634-1636.

[1]. Lewis Mumford, en *Technics and Civilization* alude precisamente a esta confrontación entre Venus y Marte para ilustrar la doble cara de la acción destructora de las guerras, a las que seguían a menudo épocas de lujuria y despilfarro, en una compensación al abandono y negación durante la batalla de lo que Venus significaba. Mumford, Lewis, *Técnica y civilización*, Alianza Universidad, Madrid, 1992.

[1]. *In Technics and Civilization, Lewis Mumford alludes to just this confrontation between Venus and Mars in order to illustrate the twin face of the destructive action of wars, to which eras of luxury and extravagance often followed, in compensation for the abandonment and negation during the battle of which Venus was a symbol. Mumford, Lewis, Technics and Civilization, Harcourt Brace Jovanovich, New York, 1963.*

de las planchas de *Los desastres de la guerra* también es tratada con tanta nobleza, frente a la brutalidad de los vivos que se abalanzan sobre ellos para despojarles de cuanto pueda ser de utilidad, que, de nuevo podríamos invertir nuestro análisis y ver a los muertos expoliados, antes de ser arrojados a la fosa, como los verdaderos vencedores, libres al fin de armas y corazas, capaces de redimir con su digno abandono la ferocidad que les rodea, la guerra que los mata.

Venus representa la capacidad de subversión del arte y de la cultura, frente a un orden establecido que se retroalimenta de la destrucción de todo aquello que está fuera de sus límites. En 1969, el artista Robert Smithson realizaba *First Upside-Down Tree*. Al mostrar arriba lo que estaba oculto abajo, pone en relación simultáneamente lo que está por encima y lo que está por debajo de la rasante. La simultaneidad de ambas zonas nos vincula de nuevo con la totalidad de todo proceso humano, y la conciencia de que existe vida bajo las piedras enriquece la concepción del mundo y la construcción de un nuevo paisaje. Venus es quien hace que el rostro de Marte invierta la mirada hacia la vida y no hacia la destrucción. De la misma manera, el artista contemporáneo invertirá el orden que había engendrado ese horizonte que dividió al hombre occidental en dos y que lo lanzó a errar sobre la tierra, incapaz de enraizar, incapaz de horadar para sembrar.

The nudity of the dead bodies Francisco Goya engraved in 1810 in one of the plates from The Disasters of War is also treated with so much nobility –as opposed to the brutality of the living, who pounce on them to loot anything that might be of use– that we could again invert our analysis and see the dead, picked clean before being cast into the common grave, as the true victors, free at last of arms and armor, capable of redeeming, in their dignified abandonment, the ferocity surrounding them, the war that claims their life.

Venus represents the capacity for subversion of Art and Culture, in opposition to an established order which gets feedback from the destruction of all that is beyond its own narrow limits. In 1969 the artist Robert Smithson created First Upside-Down Tree. To show as above what was below, hidden, simultaneously relates what is above to what is below the grade line. The simultaneity of both zones links us anew to the totality of every human process, and awareness of what lies beneath the stones enriches our conception of the world and the construction of a new landscape. Venus is she who makes Mars' eyes invert their gaze towards life and not towards destruction. In the same way, the contemporary artist will invert the order that had engendered that horizon which divided Western man in two and cast him forth to wander the earth, incapable of taking root, incapable of drilling in order to sow.

To Smithson's intervention will be added those of many other artists who, like him, often roamed among the refuse of industrial workings or abandoned mines, wounds or fragments produced by the capitalist system. In 1971 Gordon Matta-Clark was an invited artist in the exhibition organized by Willoughby Sharp on one of the abandoned wharves of Manhattan. The artist piled up trees and rubbish inside the wharf warehouse and then hung face–down over the material collected there. The presence of trees showed the potential of what society cast aside as junk. The artist hanging on the same axis as one of the trees showed himself to be a continuation of it, the fertile root capable of nourishing him.

Francisco Goya, *Se aprovechan*, de la serie de grabados L*os desastres de la Guerra*, 1810.
Francisco Goya, They Take Advantage, *from the etching series* The Disasters of War, *1810.*

Robert Smithson, *First Upside-Down Tree*, Alfred, Nueva York, 1969.
Robert Smithson, First Upside-Down Tree, *Alfred, New York, 1969.*

Gordon Matta-Clark, *Untitled Perfomance*, Pier 18, Nueva York, 1971.
Gordon Matta-Clark, Untitled Performance, *Pier 18, New York, 1971.*

A la acción de Smithson siguieron la de otros muchos artistas que, como él, vagaban con frecuencia por entre los desechos de operaciones industriales o mineras abandonadas, heridas o fragmentos producidos por el sistema capitalista. En 1971, Gordon Matta-Clark fue invitado a la exposición organizada por Wiloughby Sharp en uno de los muelles desocupados de Manhattan. El artista apiló árboles y basuras en el interior del muelle, y luego se colgó boca abajo sobre el material reunido. La presencia de árboles demostraba la potencialidad de lo que la sociedad apartaba como desecho. El artista colgando sobre el mismo eje de uno de esos árboles se mostraba como continuación del mismo, como la raíz fértil capaz de alimentarlo.

Sin la acción invertidora de estos artistas, sería difícil entender muchos de los trabajos arquitectónicos y paisajísticos de estos últimos años donde, como en los grandes pórticos del Mauerpark, en Berlín, es posible columpiarse de un lado a otro, de este a oeste, negando así el límite que genera suburbios y zonas sin vida. En una operación integradora, los vacíos son ahora las zonas de encuentro, el verdadero espacio público, el lugar donde el orden rígido de las cosas queda suspendido y a punto de caer como los velos que medio cubrían a Venus.

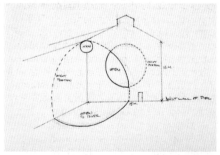

Con las mismas precauciones que las estrategias de bombardeo en una guerra, así planea Gordon Matta-Clark su acción sobre edificios abandonados. Agujereándolos, redime su destrucción pasiva y la sustituye por una destrucción activa que refuerza la memoria de sus estructuras constructivas y lo revitaliza. Al igual que si se tratara de una amputación, la sustracción que conlleva le devuelve la vida. En 1975, de nuevo en el frente ribereño de Nueva York, en el muelle 52, Gordon Matta-Clark realiza cortes en una apenas iluminada reliquia industrial de acero y estaño ondulado, que permanecía intacta desde el siglo diecinueve. "Los cortes iniciales se hicieron en el suelo del muelle, cruzando el centro y formando un canal que se llenaba con la marea de dos metros setenta centímetros de anchura y veintiún metros de longitud. Una apertura en forma de vela da acceso al río. Una forma similar en el tejado, directamente encima de este canal, permite la entrada de un pedazo de luz que traza un arco sobre el suelo hasta ser captado por la ranura llena de agua, al mediodía. Durante la tarde, el sol entra por un "rosetón" seme-

Without these artists' acts of inversion it would be difficult to understand many of the architectonic and landscaping interventions of recent years, as in the great porticos of the Mauerpark in Berlin, where it is possible to swing from one side to another, from east to west, thus negating the frontier which gives rise to suburbs and areas lacking all life. In an integrating operation, empty spaces are now the areas of encounter, authentic public space, the place where the rigid order of things is suspended and on the point of falling, like the veils half covering Venus.

Using the same precautions as in wartime bombing, Gordon Matta-Clark plans his interventions on abandoned buildings. By holing these, he redeems their passive destruction and substitutes it by an active destruction that strengthens the memory of their constructional structures, revitalizing all this. In the same way as if this were an amputation, the subtraction this implies restores life back to it. In 1975, again on the New York riverfront, on Pier 52, Gordon Matta-Clark made cuts in a barely lit industrial relic of steel and corrugated tin which had remained intact since the 19th century. "The initial cuts were made in the deck of the pier, crossing the center and forming a channel that filled up with water at high tide, a channel 2.7 meters wide and 21 meters long. A sail-shaped aperture gives access to the river. A similar form in the roof, directly over this channel, permits the entry of a bit of light, which traces an arc on the deck until being picked up by the water-filled groove at midday. During the afternoon the sun enters through a 'rose window', similar to a cat's eye, in the east wall. First a fine line, and then a specific form of light, continues slowly entering the pier warehouse until it completely illuminates it at dusk. Below the hole in the back wall there is another big, quadrant-shaped cut that opens up the southeast corner deck to a turbulent vista of the waters of the Hudson. Water and sun are constantly moving in the warehouse throughout the day in what I take to be an interior park, a temple of sun and water".[2]

Mauerpark, Berlín, 1995.
Grün Berlín.
*Mauerpark, Berlin, 1995.
Grün Berlín.*

Gordon Matta-Clark, esquema para Day's End, 1975, tinta sobre papel, 23 x 28 cm, colección particular, Amberes.
Gordon Matta-Clark, scheme for Day's End, 1975, ink on paper, 23 x 28 cm. Private collection, Amberes.

Gordon Matta-Clark, *Day's End*, 1975. Cuatro fotografías en color, Colección Yvon Lambert, París.
Gordon Matta-Clark, Day's End, 1975. Four color photographs. Collection: Yvon Lambert, Paris.

2. Entrevista con Gordon Matta-Clarck, en *Matta-Clark* (catálogo de exposición), Internationaal Cultureel Centrum, Amberes 1977, p.11.
2. *Interview with the artist in the exhibition catalogue Matta-Clark, Internationaal Cultureel Centrum, Amberes, 1977, p. 11.*

jante a un ojo de gato en la pared oeste. Primero una fina ranura, y luego una forma definida de luz continua entrando lentamente en el muelle hasta iluminarlo por completo al atardecer. Debajo del agujero mural posterior hay otro gran corte de un cuarto de círculo que abre el suelo de la esquina suroeste a una turbulenta vista de las aguas del Hudson. El agua y el sol se mueven constantemente en el muelle durante el día, en lo que yo veo como un parque interior, un templo de sol y agua".

La luz crepuscular que atraviesa las barreras de la periferia es el estilete que, rasgando esos límites, vivifica y devuelve su centralidad a estos lugares abandonados y de memoria incómoda, para, finalmente, entregarlos transmutados en espacios abiertos y públicos que al fin tendrían algo digno que mostrar. Cuando Manuel de Solà-Morales derriba algunos de los muros de hormigón de la base de submarinos de Saint-Nazaire y extiende una rampa de acceso al techo de la base, nos está abriendo paso a través de una verdadera fortificación, permitiéndonos acceder por arriba, al igual que si entrásemos por la escotilla de uno de los submarinos que en su día debió albergar. Que la memoria de la base utiliza-

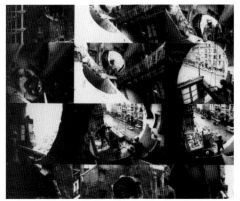

The crepuscular light that transfixes the barriers of the periphery is the stiletto which, lacerating those boundaries, enlivens and restores their centrality to such abandoned places of uncomfortable memory, and hands them over transmuted as open, public spaces that finally have something worthwhile to say. When Manuel de Solà-Morales demolishes the concrete walls of the Saint-Nazaire submarine base and extends an access ramp to the roof of the base, he's opening a breach for us through a genuine fortification, allowing us to get up to the top, the same way as if we were entering through the hatch of one of the submarines that were, in their day, housed there. The memory of the base utilized by German submarines during the Occupation is thus converted into an immense atrium full of emptiness and diaphragmatic transparencies, and blitzes the hermetic character of the submarine and of the military fortifications. To pierce, to denude, to make accessible what once was not, to bring to the surface what was hidden beneath it, to demonstrate the dignity of the structures and spaces held captive within: this seems to be the mission of many of the public space projects being realized in recent years.

Gordon Matta-Clark, Day's End, 1975. Fotografía en color, 96 x 103 cm, colección Daniel y Danielle Varenne, Ginebra.
Gordon Matta-Clark, Day's End, 1975. Color photograph, 96 x 103 cm. Collection: Daniel & Danielle Varenne, Geneva.

Gordon Matta-Clark y Jerry Hovagimyan haciendo el corte de Conical Intersect, Bienal de París de 1975, 27-29 Rue Beaubourg, barrio de Les Halles.
Gordon Matta-Clark and Jerry Hovagimyan making the cut for Conical Intersect, 27-29 rue Beaubourg, Les Halles. Paris Biennial, 1975.

da por los submarinos alemanes durante la ocupación quede convertida en un atrio inmenso lleno de vacío y diafragmáticas transparencias, bombardea de pleno el carácter hermético del submarino y de las fortificaciones militares. Horadar, desnudar, hacer accesible lo que no lo era, sacar a la superficie lo que se ocultaba bajo ella, mostrar la dignidad de las estructuras y los espacios apresados en su interior, parece ser la misión de muchos de los proyectos de

Manuel de Solà-Morales, sección del proyecto para la base de submarinos en Saint-Nazaire, "Ville-Port", 1994-1998.
Manuel de Solà-Morales, cross-section of the project for the "Ville-Port" submarine base in Saint-Nazaire, 1994-1998.

Manuel de Solà-Morales. Trabajos para derribar algunos de los muros exteriores, base de submarinos en Saint-Nazaire, 2000.
Manuel de Solà-Morales, works for demolishing some of the outer walls, Saint-Nazaire submarine base, 2000.

Manuel de Solà-Morales, fotografía de Luis Asín del interior de la base de submarinos en Saint-Nazaire, 2000.
Manuel de Solà-Morales, photo by Luis Asín of the interior of the Saint-Nazaire submarine base, 2000.

Venus Attempts to Detain Mars

espacio público que se están realizando estos últimos años.

También, la reflexión sobre la bondad y la maldad intrínseca de la máquina gravita sobre muchas de las actuaciones regeneradoras de gran extensión de zonas y regiones devastadas por la explotación y contaminación de sus recursos naturales. Si en una primera fase (fase eotécnica) [3] la máquina era esa prolongación artificial, fruto del ingenio del hombre, que se sumaba a las fuerzas naturales (la madera fue la base principal de la industria eotécnica, con ella se construían las máquinas y las herramientas, grúas, carros, tornos, molinos, diques y fosos de drenaje), en la fase siguiente (fase paleotécnica) la introducción del carbón como fuente de energía mecánica y los nuevos métodos para fundir y trabajar el hierro supuso la polución del aire y de las aguas, la especialización industrial de regiones enteras y la degradación de las condiciones de vida del trabajador. La industria paleotécnica tendió a escapar de las ciudades existentes, instalándose en suburbios ruinosos o en distritos rurales fuera del alcance de la legislación. El objetivo de las mejoras tecnológicas radicaba exclusivamente en el aumento de la energía, disociada totalmente de sus limitaciones humanas y geográficas, y en la disminución del

Likewise, a reflection on the positive and negative qualities intrinsic to the machine gravitates around many of the large-scale regenerative interventions in areas and regions devastated by the exploitation and contamination of their natural resources. If in its first (eotechnic) [3] phase the machine was an artificial prolongation provided by man's ingenuity, one associated with natural forces (wood was the chief basis of eotechnic industry; machines and tools, derricks, carts, winches, windmills, dikes and drainage ditches were constructed with it), in the next (paleotechnic) phase the introduction of coal as a source of mechanical energy and the new methods for smelting and working iron involved the pollution of both air and water, the industrial specialization of whole regions, and the degradation of the conditions of the worker's life. Paleotechnic industry tended to escape from the existing cities, installing itself in rundown suburbs or in rural districts beyond the reach of legislation. The objective of the top technologies lay exclusively in the augmentation of energy, totally dissociated from its human and geographical limitations, and in the diminution of the time needed to do the work.

Fotografía de las fábricas Krupp, 1890.
Photo of the Krupp factories, 1890.

Típica batería de molinos de viento cerca de Elshout, Holanda (De Onze Hollandsche Molen).
Typical set of windmills near Elshout, Holland (De Onze Hollansche Molen).

Fotografía de uno de los once aerogeneradores en Vindeby, Dinamarca.
Photo of one of the eleven aerogenerators in Vindeby, Denmark.

tiempo para realizar el trabajo.

En estos últimos años, asistimos a la culminación del proceso invertido por el que la técnica, en vez de beneficiarse por su abstracción de la vida, se beneficiará mucho más por su integración en ella. La sutileza, la finura, el respeto por la complejidad orgánica caracterizan ahora toda la extensión del pensamiento científico. Lo cuantitativo y lo mecánico se habrían hecho al fin sensibles a lo vital. La conservación del medio ambiente sería, por lo tanto, la última fase del desarrollo de la técnica (fase neotécnica). Una clara muestra de ello es, sin duda, la gran actuación pluridisciplinar que se ha llevado a cabo en el IBA Emscher Park reconvirtiendo un típico ejemplo de la llamada industria paleotécnica, en la zona del Ruhr, en un sistema de parques interrelacionados que albergan más de cien proyectos con una misma y principal finalidad: la regeneración y

In recent years we have witnessed the culmination of the inverse process by which technics, instead of being benefited by its abstraction of life, will be benefited more greatly by its integration within it. Subtlety, purity and a respect for organic complexity now characterize any extension of scientific thinking. The quantitative and the mechanical have finally been rendered sensitive to the vital. Conservation of the environment is therefore the final phase in the development

3. Lewis Mumford, en la obra citada anteriormente, recorre detalladamente las distintas fases de la evolución y desarrollo de la técnica en la civilización occidental. Fases eotécnica, paleotécnica y neotécnica se suceden a lo largo de cinco siglos, determinando a la sociedad en su globalidad y acercándola o apartándola de su equilibrio con el mundo y con la humanidad.

3. In the book cited above, Lewis Mumford gives a detailed survey of the different phases in the evolution and development of technics in Western civilization. Eotechnic, paleotechnic and neotechnic phases follow one another over a period of five centuries, determining society in a global sense and shifting it closer to, or further from, an equilibrium with the world and with humanity.

reestructuración del equilibrio entre las actividades humanas y el ecosistema. Los centros de investigación y desarrollo de tecnologías limpias e industrias sostenibles, los centros culturales, los distintos lugares de ocio, las viviendas y los jardines, tejerían de nuevo un paisaje similar al que existía desde los siglos XVI hasta mediados del XVIII, donde la cultura y la técnica estaban en relativa armonía y de manera predominante al servicio de la vida, en un equilibrio entre lo estático y lo dinámico, lo urbano y lo rural, lo mecánico y lo vital. Así, se estaría volviendo al espíritu inicial que alentó los primeros inventos y la construcción de las primeras máquinas, redimiendo quizá su aparente maldad y mostrando que, tal como nos indicaba premonitoriamente Lewis Mumford en 1934, "Encontramos que en la maquinaria existen valores humanos que no sospechábamos; también encontramos que hay despilfarros, pérdidas y alteraciones de energía que el economista corriente ocultaba cuidadosamente. Los inmensos desplazamientos materiales que la máquina ha realizado en nuestro ambiente físico son quizá, a largo plazo, menos importantes que sus contribu-

ciones espirituales a nuestra cultura".
A las 5:45 a.m. del 17 de enero de 1995, la región de Osaka-Kobe-Awaji en el oeste central del Japón fue sacudida por un fuerte terremoto. Un año después, en el interior del pabellón de Japón en la Bienal de Venecia de 1996, el arquitecto Katsuhiro Miyamoto construyó, con parte de los escombros del terremoto, una topografía de los restos de las últimas construcciones de madera. De esta manera, los escombros son utilizados como material de fabricación para el desarrollo de un terreno y para la

of technics (the neotechnic phase). A clear demonstration of this is, without doubt, the huge, multidisciplinary intervention undertaken in the IBA Emscher Park, in converting a typical example of so-called paleotechnic industry in the Ruhr region into a system of interrelated parks which house more than a hundred projects, all having a common aim: the regeneration and restructuring of the balance between human activity and the ecosystem. The centers for the research and development of clean technologies and sustainable industries, the cultural centers, the different leisure sites, the houses and gardens all reweave a landscape similar to that of the 16th to the mid-18th centuries, in which culture and technics were in relative harmony and mainly at the service of life, in an equilibrium between the static and the dynamic, the urban and the rural, the mechanical and the vital. Thus, we are returning to the initial spirit that inspired the first inventions and the construction of the first machines, perhaps redeeming their seemingly evil quality and proving that, as Lewis Mumford pointed out with tremendous foresight in 1934: "We find that in machinery human values exist that we never suspected; we also find that there are wastages, losses and alterations of energy that the average economist carefully hid. The immense material displacements the machine has realized in our physical environment are perhaps, in the long term, less important than its spiritual contributions to our culture."

At 5.45 a.m. on 17 January 1995, the region of Osaka-Kobe-Awaji in mid-western Japan was shaken by a strong earthquake. One year later, inside the Japanese Pavilion at the 1996 Venice Biennale, the architect Katsuhiro Miyamoto constructed, using some of the debris of the earthquake, a topography of the remains of the last wooden buildings. In this way the debris is used as a building material for developing a terrain and for evoking old traditional houses of wood. Also exhibited in the pavilion, Ryuji Miyamoto's photos show the subverted order of weakened buildings, caught between tangled pipes and cables. What was once upright and protective now lies on the

Rainer Weisbach, Martin Brück; "Ferropolis, an excavator city", Wittenberg, Alemania, 1991.
Rainer Weisbach & Martin Brück, "Ferropolis: An Excavator City", Wittenberg, Germany, 1991.

Artengo, Menis, Pastrana, rehabilitación de un tanque de CEPSA, Santa Cruz de Tenerife, 1997.
Artengo, Menis, Pastrana, rehabilitation of a CEPSA storage tank, Santa Cruz de Tenerife, 1997.

Parque de Duisburg-Nord, 1991-2000, IBA Emscher Park, Alemania.
Duisburg-Nord Park, 1991-2000, IBA Emscher Park, Germany.

evocación de las antiguas casas tradicionales de madera. Expuestas también en el pabellón, las fotografías de Ryuji Miyamoto muestran el orden subvertido de edificios desfallecidos, apresados entre marañas de tuberías y cables. Lo que se levantaba y cobijaba yace ahora en el suelo incapaz de albergar, y sin embargo, no se está fotografiando la fragilidad de las construcciones, sino su capacidad increíble para transformarse en unos pocos segundos. El artista actual ha empezado a percibir este proceso de desintegración de estructuras sin una sensación de pérdida, sino como una segunda naturaleza del Todo Real.

leza del Todo Real.
Esta resurgida capacidad del hombre para crear una segunda naturaleza en forma de arte y cultura que le vincule con el mundo, será la que permitirá redimir a la máquina convirtiéndola en el símbolo de la propia condición creadora y transformadora del hombre. Los viejos caparazones huecos de las viejas industrias anticuadas se levantan ahora como tótems en medio de la nueva selva común del "espacio público". Estos

ground, incapable of providing shelter. And yet the fragility of the buildings is not what is being photographed, but rather their incredible capacity for being transformed in a matter of seconds. The contemporary artist has begun to perceive this process of the disintegration of structures without a sense of loss, but as the second nature of the all-real.

This renewed capacity of man to create a second nature in the shape of an art and culture that links him to the world will be what allows him to redeem the machine by converting it into the symbol of his creative, transformational condition. The old, empty shells of obsolete industries now stand as totems in the midst of the widespread new woodland of "public space". These enormous skeletons will link man to the rest of the planet and remind him that he must share the world with his own creative and destructive anxieties. Where once the grinding machines of time pounded away, now there gravitates the space of man's cultural and civilizing potentiality. Hell having been redeemed, the spreading of parks and gardens will no longer bespeak the death of the original factory, but the life that remains among the ruins. The same life that permits the free reconstruction and integration of all the fragments.

esqueletos enormes vincularán al hombre con el resto del planeta y le recordarán que deberá compartir el mundo con sus propias ansias creadoras y destructoras. Donde antes latían los mecanismos trituradores de tiempo, ahora gravitan el espacio de la potencialidad cultural y civilizadora del hombre. Redimido el infierno, la extensión de parques y jardines ya no hablará más de la muerte de la fábrica original, sino de la vida que queda entre las ruinas. Esta vida que permite la libre reconstrucción e integración de todos los fragmentos.

Osamu Ishiyama, *Sin título*, Bienal de Venecia 1996.
Osamu Ishiyama, Untitled, *1996 Venice Biennale.*

Osamu Ishiyama, boceto, Bienal de Venecia, 1996.
Osamu Ishiyama, sketch, 1996 Venice Biennale.

Gordon Matta-Clark, *Pier In/Out*, 1973. Fragmento del edificio montado sobre base de acero y fotografías del proceso de sustracción. Colección Holly Solomon, Nueva York, y colección Paolo Minetti, Génova.
Gordon Matta-Clark, Pier In/Out, *1973. Fragment of building mounted on a steel base and photos of the subtraction process. Collection: Holly Solomon, New York, and Collection: Paolo Minetti, Genoa.*

Robert Smithson, *The Fountain Monument-Side View*, The Passaic River, 1967.
Robert Smithson, The Fountain Monument–Side View, *The Passaic River, 1967.*

Jardines de Valdemingómez. Transformación paisajística de un antiguo vertedero, Madrid, España

Paisaje de Godofredo Ortega Muñoz.
Landscape by Godofredo Ortega Muñoz.

Vista aérea del enclave.
Aerial view of the enclave.

Monumento a los pájaros de Alberto Sánchez, escultor de la Escuela de Vallecas, que, con su mirada pionera sobre estos paisajes, supo entender y dar expresión a los vínculos de la ciudad con sus duros y hermosos terrenos del sur, con los atardeceres y los vuelos de los pájaros que lo habitan; una mirada desarrollada desde el famoso cerro Almodóvar en las próximidades de Vallecas, al que ascendían estos artistas para inspirar su arte y que tan próximo se encuentra del lugar que nos ocupa.

Monument to the Birds by Alberto Sánchez, a sculptor of the Vallecas School, whose pioneering vision led him to give expression to the links between the city and its hard and beautiful southern landscape, its twilights and the flight of the birds living there; a vision developed from the famous Almodóvar Hill outside Vallecas which, seeking inspiration, these artists climbed and which is found very close to the location concerning us here.

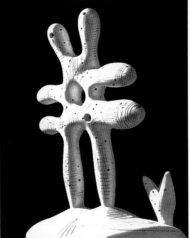

El interés que puede tener realizar una acción paisajística de gran escala sobre los terrenos del antiguo vertedero aprovechando su desgasificación, es presentar ante los habitantes de Madrid unos paisajes, unos lugares y unos tratamientos que han permanecido ocultos hasta la fecha. Debe añadirse que cualquier pretensión de naturalidad, de mimetismo con el paisaje natural carece, por completo de base científica, pues se trata de terrenos que, en absoluto, participan de continuidad con el medio circundante; no sólo porque su topografía ha sido alterada por los propios procesos industriales, sino por la presencia a su alrededor de antiguos depósitos de residuos cuyo vínculo con la composición geológica de la zona es nula o inexistente.

El proyecto pretende, entonces, una intensificación de la experiencia del lugar adaptada a la forma de percepción del ciudadano actual, más que una falsa restauración del paisaje. Se parte de un concepto híbrido, tanto botánico como cultural, que se realiza rescatando el más intenso antecedente artístico asociado a este paisaje: el conjunto de pintores y escultores de la Escuela de Vallecas. El jardín está diseñado pensando en el carácter didáctico que un lugar como éste puede referir hacia cuestiones relativas al medio ambiente y la sostenibilidad urbana y rural. Una zona periférica, llamada el Jardín de Flores Silvestres, da paso a los jardines bioclimáticos y a los circuitos de sensibilización medioambiental. El acceso se produce a través de tres marquesinas en forma de paraguas, como puntos de control de los diferentes visitantes, que se coronan con anillos concéntricos cubiertos alternativamente de materia vegetal, panelcs de aluminio y lucernarios transparentes, creando una imagen en consonancia con el carácter artificial y natural del entorno. Dos piezas estructuran las actividades en el interior: el Monumento a los Pájaros, escultura reconstruida de Alberto Sánchez, y el Centro de Acogida, Interpretación y Servicios. A medio camino, el visitante percibirá la presencia de los aparcamientos en un par de playas de geometría ovoidal, cuya posición y tratamiento evoca las grandiosas plataformas que anteceden a los complejos palaciegos típicamente renacentistas.

El proyecto de los Jardines de Valdemingómez se concibe como una puerta especializada hacia el Parque Regional del Sureste de Madrid. Se trata de un lugar único en el que confluyen los aspectos más frágiles de la relación entre el medio urbano, con sus instalaciones de vertido y reciclaje, y el delicado ecosistema del parque natural. Una plataforma de enlace entre dos paisajes contiguos pero incomunicados.

FICHA TÉCNICA:
Emplazamiento: Valdemingómez, Madrid, España.
Autores: Iñaki Ábalos, Juan Herreros, Ángel Jaramillo.
Colaboradores: Jakob Hense, Renata Sentkiewicz, Carmen Muñoz.
Presupuesto: 1.700 millones de pesetas.
Infografías: Gestalt.
Concurso: Junio 2000.
Superficie: 24 ha.
Cliente: FCC/URBASER/ENDESA.

Jardines de Valdemingómez. Transformación paisajística de un antiguo vertedero, Macrid, España

138

Valdemingómez Gardens. The Landscaping of a Former Rubbish Dump, Madrid, Spain

The interest that undertaking a large-scale landscaping operation on the grounds of the former rubbish dump may have, taking advantage of its degasification, is to present the inhabitants of Madrid with a series of landscapes, places and processes than have hitherto remained hidden. It has to be added that any claim to naturalness, to mimetism with the landscape, lacks scientific basis, since these are bits of land that have absolutely no continuity with the surrounding environment; not only because their topography has been altered by the industrial processes themselves, but due to the local presence of former waste deposits whose link to the geological composition of the area is nil or non-existent.

The project, then, aims at an intensification of the experience of the location, an experience adapted more to the contemporary citizen's form of perception than to a false restoration of the landscape. It proceeds from a hybrid concept, botanical as well as cultural, which is realized by salvaging the most intense artistic antecedent associated with this landscape: the group of painters and sculptors of the Vallecas School. The garden is designed by considering the didactic character a location like this can have vis-à-vis questions relating to the environment and to urban and rural sustainability. A peripheral zone, called the Garden of Woodland Flowers, leads to the bioclimatic gardens and the circuits of environmental sensitization.

Access is provided via three umbrella-shaped canopies, like visitors' checkpoints, which are crowned with concentric rings alternatively covered with vegetal matter, aluminum panels and transparent skylights, thus creating an image in consonance with the artificial and natural character of the surroundings. Two elements structure the activities within: the Monument to the Birds, a reconstructed Alberto Sánchez sculpture, and the Reception, Interpreter and Service Center. Along the way the visitor will note the presence of the parking lots on a pair of ovoid-shaped open spaces, whose position and treatment evokes the grandiose forecourts that front the typical Renaissance palace complex.

The Valdemingómez Gardens project is conceived as a specialized gateway to the Regional Park of southeast Madrid. This is a unique location in which are conjoined the more fragile aspects of the relationship between the urban environment, with its waste and recycling facilities, and the delicate ecosystem of the natural park. A platform linking two contiguous, yet isolated, landscapes.

TECHNICAL DATA:
Authors: Iñaki Ábalos, Juan Herreros, Ángel Jaramillo.
Collaborators: Jakob Hense, Renata Sentkiewicz, Carmen Muñoz.
Location: Valdemingómez, Madrid, Spain.
Budget: 1,700M pesetas.
Computer graphics: Gestalt.
Competition: June 2000.
Surface area: 24 hectares.
Client: FCC/URBASER/ENDESA.

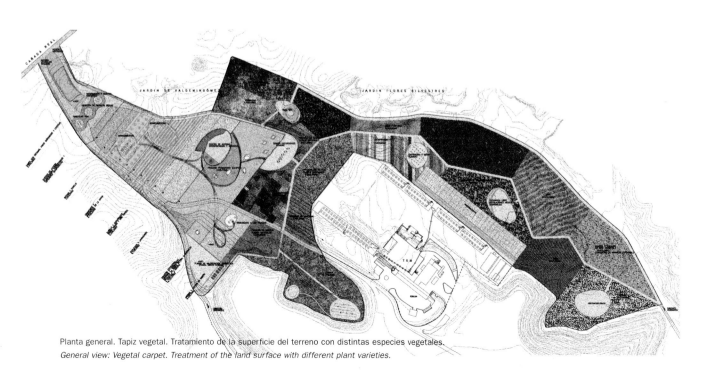

Planta general. Tapiz vegetal. Tratamiento de la superficie del terreno con distintas especies vegetales.
General view: Vegetal carpet. Treatment of the land surface with different plant varieties.

Jardín de Valdemingómez. Planta de cubiertas.
Garden in Valdemingómez. Roof level.

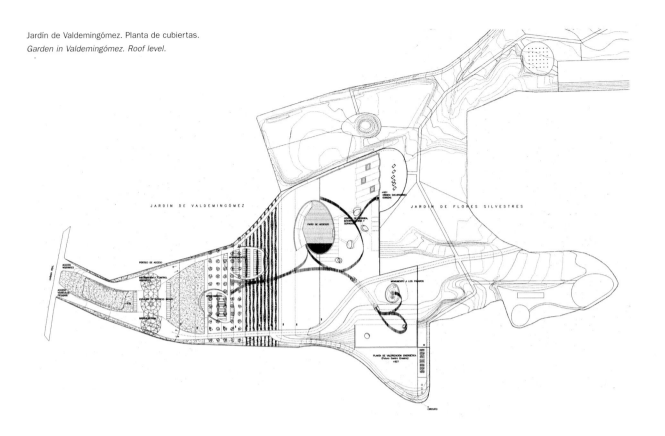

Visión del conjunto con el pórtico de acceso en primer plano.
View of the complex, with the entrance gateway in the foreground.

Jardines de Valdemingómez. Transformación paisajística de un antiguo vertedero, Madrid, España

140

Planta general. Programa y plantaciones.
General plan. Program and plantings.

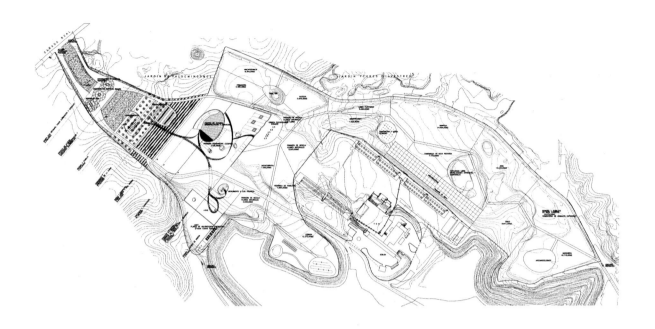

El conjunto desde el edificio posterior.
The complex from the rear building.

Valdemingómez Gardens. The Landscaping of a Former Rubbish Dump, Madrid, Spain

Edificio lago.
Lake building.

Marquesina de acceso. Información y control de los visitantes. Estación de servicio de biogás. Básculas TGM.
Entrance canopy. Information and visitor control. Biogas service station. TGM weighbridges.

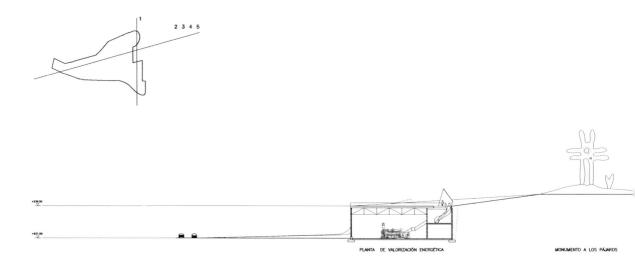

PLANTA DE VALORIZACIÓN ENERGÉTICA   MONUMENTO A LOS PÁJAROS

PÓRTICO DE ACCESO   JARDÍN DE VALDEMINGÓMEZ

PÓRTICO DE ACCESO   JARDÍN DE VALDEMINGÓMEZ

Jardines de Valdemingómez. Transformación paisajística de un antiguo vertedero, Madrid, España

Vista del edificio posterior desde el extremo noreste de los jardines.
View of the rear building from the northeast edge of the gardens.

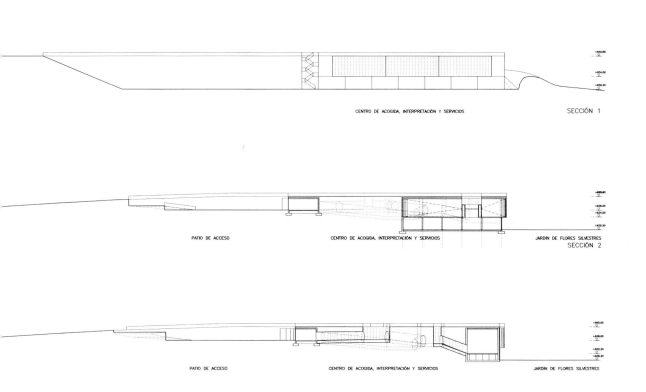

CENTRO DE ACOGIDA, INTERPRETACIÓN Y SERVICIOS   SECCIÓN 1

PATIO DE ACCESO   CENTRO DE ACOGIDA, INTERPRETACIÓN Y SERVICIOS   JARDÍN DE FLORES SILVESTRES
                                                                                  SECCIÓN 2

PATIO DE ACCESO   CENTRO DE ACOGIDA, INTERPRETACIÓN Y SERVICIOS   JARDÍN DE FLORES SILVESTRES

Valdemingómez Gardens. The Landscaping of a Former Rubbish Dump, Madrid, Spain

143

"Cráteres, desiertos salados, acantilados, montañas cortadas: todos los paisajes que nos sugieren el fin del mundo también nos sugieren su comienzo. Quizá, en realidad, ambos aconteci- mientos sean uno solo y corresponda a nuestra capacidad de fic- ción la tarea de mantenerlos férreamente separados para inven- tar el tiempo, la historia y, en la más sofisticada pirueta de la fantasía, inventarnos a nosotros mismos".

Rafael Argullol, *El cazador de instantes: cuaderno de travesía 1990-1995*, Ediciones Destino, Barcelona, 1996.

"El tiempo presente y el tiempo pasado
están quizás presentes los dos en el tiempo futuro
y el tiempo futuro contenido en el tiempo pasado.
Si todo tiempo es eternamente presente
todo tiempo es irredimible.
Lo que podía haber sido es una abstracción
que queda como perpetua posibilidad
sólo en un mundo de especulación.
Lo que podía haber sido y lo que ha sido
apuntan a un solo fin, que está siempre presente.
Hay eco de pisadas en la memoria
allá por el pasadizo que no tomamos
hacia la puerta que nunca abrimos
a la rosaleda".

T. S. Eliot, *Poesías reunidas 1909-1962*, Alianza Editorial, Madrid, 1999.

"Somos lo que hay,
lo que le gusta a la gente,
lo que se vende como pan caliente,
lo que se agota en el mercado.
Somos lo máximo."

Pedro Juan Gutiérrez, *El rey de La Habana*, Anagrama, Barcelona, 1999.

"Craters, salt flats, cliffs, steep mountains: all the landscapes that suggest the end of the world to us also suggest its beginning. Perhaps in reality both events are but a single event, and to our capacity for fiction there corresponds the task of keeping them rigidly separate, so as to invent time, history and, in the most sophisticated pirouetting of fantasy, to invent our own selves."

Rafael Argullol, El cazador de instantes: cuaderno de travesía 1990-1995, *Ediciones Destino, Barcelona, 1996.*

"Time present and time past
Are both perhaps present in time future
And time future contained in time past.
If all time is eternally present
All time is unredeemable.
What might have been is an abstraction
Remaining a perpetual possibility
Only in a world of speculation.
What might have been and what has been
Point to one end, which is always present.
Footfalls echo in the memory
Down the passage which we did not take
Towards the door we never opened
Into the rose-garden."

T. S. Eliot, "Burt Norton[1935]" (Four Quartets), *in* Collected Poems 1909-1962, *Faber & Faber, London, 1963.*

"We're what there is,
what people go for,
what sells like hot cakes,
what runs out in the market.
We're the most."

Pedro Juan Gutiérrez, El rey de La Habana, *Anagrama, Barcelona, 1999.*

La industria de acero en Bagnoli, Nápoles, Italia

Various authors

The Steel Industry in Bagnoli, Naples, Italy

Introducción

La política industrial de la ciudad de Nápoles estableció una sobredimensionada industria pesada en el Iva de Bagnoli, bloqueando un idóneo desarrollo residencial del área, a la vez que ponía en peligro el ya delicado equilibrio ambiental.

Se establecía con el trazado de una vía que debía alimentar la definitiva disgregación entre dos realidades, una industrial y la otra residencial, opuestas y en perenne conflicto. El área de estudio se presenta hoy como una caótica invasión urbana en la que coexisten, de modo fragmentado y atomizado, vestigios de edificios y sedimentos de infraestructuras, producidos por un desordenado crecimiento urbano y una casual agregación de actividades y funciones propias de la ciudad "moderna e industrial".

La presencia del largo muro que engloba la zona industrial impide que el área occidental readquiera su carácter genético y fundador; un *genius loci* que se caracteriza por una amplia explanada coronada por bajas colinas que enmarcan la visión del golfo Flégreo. El establecimiento siderúrgico de Bagnoli representa, para el imaginario colectivo y para la memoria histórica de la ciudad, un lugar donde la lógica de la producción ha acumulado, a lo largo de los últimos ochenta años, una parte conspicua de la historia industrial partenopea, pero, sobre todo, objetos voluminosos como grandes contenedores metálicos, torres de hormigón gris, colinas artificiales de escoria negra, chimeneas humeantes, altísimas grúas y potentes puentes: en definitiva, un paisaje artificial estructurado en amplísimos espacios y constituido de múltiples objetos excepcionales.

Introduction

The industrial policy of the city of Naples established a gargantuan heavy industry complex in Iva de Bagnoli, blocking any suitable residential development in the area and endangering an already delicate environmental balance.

This was established with the routing of a road that was to foment the definitive separation of two realities, one industrial and the other residential, henceforth opposed and in perennial conflict. Today, the area of study appears as a chaotic urban encroachment in which there co-exist, in a fragmentary and atomized way, the vestiges of buildings and the sediments of infrastructures produced by unruly urban growth and a piecemeal accumulation of activities and functions specific to the modern industrial city.

The presence of the long wall encircling the industrial zone currently prevents the western area from reacquiring its genetic, foundational identity; a genius loci *characterized by an ample esplanade surmounted by low hills that frame a view of the Golfo di Flegreo. For the collective imaginary and for the historical memory of the city, the Bagnoli iron and steel works represents a site where the logic of production has, over the last eighty years, played a conspicuous part in Neapolitan industrial history. Above all, however, it has given rise to such voluminous objects as vast metal containers, gray concrete towers, artificial mountains of black slag, smoking chimneys, towering cranes and mighty bridges. In fine, an artificial landscape structured over very wide areas and made up of a great number of exceptional objects.*

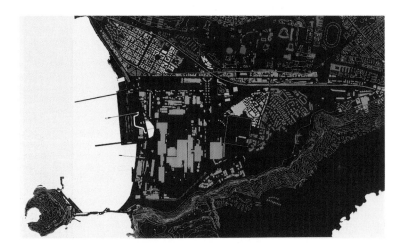

Análisis morfológico del territorio.
Morphological analysis of the territory.

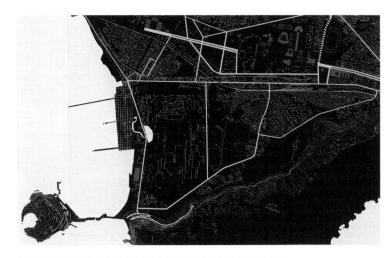

Edificación y trazado viario primario y conexiones con la línea ferroviaria.
Building work and main road layout and rail links.

La industria de acero en Bagnoli, Nápoles, Italia

148

Estado de hechos, hipótesis y proyecto construido.
Statement of given facts, hypothesis and built project.

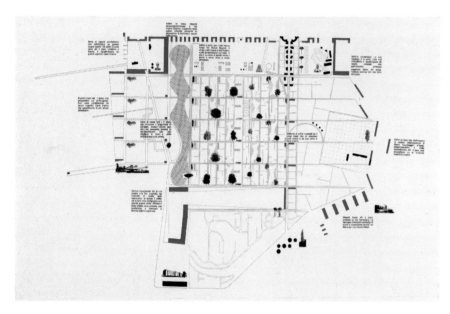

Planta de la propuesta.
Plan of the scheme.

Paolo Giordano

La propuesta detecta el potencial de una operación de apertura de un pulmón verde en el seno de la ciudad contemporánea, y tiene la voluntad de dar un nuevo uso a este espacio mediante una estrategia proyectual capaz de establecer conexiones urbanas entre objetos arquitectónicos, en una realidad infraestructural, entre pequeña y gran escala, entre espacio construido y espacio natural.

Se estudian diversas hipótesis para cada subárea del área occidental, y la descripción de las características particulares de cada una de ellas parece indicar los mecanismos apropiados para su transformación.

Próximo al centro habitado de Bagnoli se coloca la estación marítima que conecta con las islas Ischia y Procida y, en el antiguo vertedero de residuos industriales, se configura un puerto para embarcaciones deportivas. Cuatro torres temáticas perfilan sobre la gran masa de pinos el límite con la nueva línea de costa.

Sobre el terreno de la antigua industria siderúrgica se prevé el asentamiento de nuevos programas productivos ecológicamente compatibles.

En los márgenes del parque agrícola urbano se erige una especie de bastión natural de laboratorios para la biotecnología aplicada a la agricultura.

El borde norte de la ciudad está constituido por un sistema arquitectónico de baja densidad. En el límite norte del área se proponen usos terciarios y estructuras de servicio en el barrio más cercano a Bagnoli.

El área industrial abandonada se convierte en gran parque urbano moderno, imponiéndose un método espontáneamente natural, más que una hipótesis de diseño específico, el telar arquitectónico en el que tejer la trama de un tejido urbano de consistencia natural.

En toda el área del parque se impone la trama urbana fundacional, generando parcelas idénticas a las de la ciudad consolidada, antropomizando la naturaleza, imponiéndole un rígido y preciso trazado que la flexibilidad del programa consiente en perturbar mediante la conservación de aquellas arquitecturas industriales que, por su extraordinaria dimensión o por su valor "arqueológico", se conservan.

Estos enigmáticos *objets trouvés* aparecen como singulares monumentos de esta coreografía artificial.

FICHA TÉCNICA:
Cliente: Ministerio del Trabajo y Asuntos Sociales, U.E.
Autor: Paolo Giordano.
Colaboradores: Maria Grazia Vitale, Luca Lanini, Alessandro Orcchiuzzi, Francesco Scivicco.
Proyecto: 1994.
Superficie: proyecto: 77 ha.; superficie del área de estudio: 166,5 ha.
Emplazamiento: Iva de Bagnoli, Nápoles, Italia.

Paolo Giordano

Paolo Giordano

The proposal senses the potential of the opening-up of a green lung in the heart of the contemporary city and seeks to give a new use to this space via a planning strategy capable of establishing urban connections between architectural objects in an infrastructural reality somewhere between small- and large-scale, between built and natural space.

Different hypotheses were studied for each sub-section of the western area, and the description of the typical characteristics of each of these seems to indicate the appropriate mechanisms for their transformation.

Near to the inhabited center of Bagnoli we site the seaside resort connecting with the islands of Ischia and Procida. In the former industrial waste-disposal area we configure a port for leisure sailing. Above the great mass of pine trees four thematic towers mark the frontier with the new coastline.

On the land of the former iron and steel works the siting of new, productive, ecologically compatible programs is foreseen.

On the edges of the urban/agricultural park we set up a kind of natural bastion of laboratories for farming-related biotechnology.

The north edge of the city is constituted by a system of low-density architecture. In the northern limits of the area tertiary sector uses are proposed, plus service structures in the immediate Bagnoli neighborhood.

The abandoned industrial area is converted into a huge modern urban park, a spontaneously natural method, rather than a specific design hypothesis, being imposed, the architectonic grid on which to weave the weft of an urban fabric of natural consistency.

The foundational urban weft is imposed over the entire park area, generating plots of land identical to those of the consolidated city, anthropomorphizing nature and imposing on it a rigid and precise layout. The flexibility of the program, however, elects to undermine this, due to those industrial architectures which, given their extraordinary size and their "archaeological" value, are preserved.

These enigmatic objets trouvés appear as eye-catching monuments within this artificial choreography.

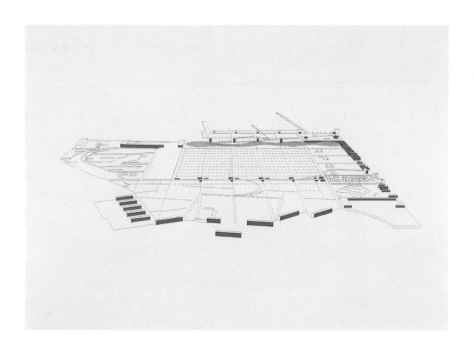

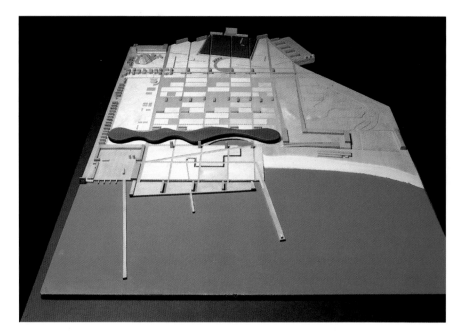

Vistas del conjunto.
Views of the complex.

TECHNICAL DATA
Author: Paolo Giordano.
Collaborators: Maria Grazia Vitale, Luca Lanini, Alessandro Orcchiuzzi, Francesco Scivicco.
Cliente: The European Ministry of Labor and Social Affairs.
Project: 1994.
Surface area: project: 77 hectares; surface area of the study zone: 166.5 hectares.
Location: Iva de Bagnoli, Naples, Italy.

Paolo Giordano

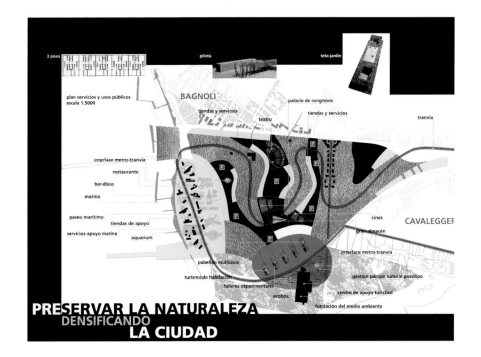

Renata Furlanetto, Mirela Fiori,
Daniela Michelli, Carlos Sant'Ana

En la delgada línea donde la ciudad toca la naturaleza, aparecen grandes piezas de uso público que, a la vez, sirven de conexión entre los dos frentes verdes y fijan un límite, dejando resueltas posibles áreas residuales de la ciudad. Se preserva la naturaleza densificando la ciudad, favoreciendo la sostenibilidad de los ecosistemas existentes.

Se produce un complejo híbrido donde los límites se diluyen y se entremezclan. Se configura una nueva topografía operativa que permite que la ciudad se desarrolle hasta sus límites naturales, ocupando y diluyéndose espontáneamente en el territorio, construyendo una infraestructura en el paisaje. La densidad no es negativa para la naturaleza, pero constituye un motivo para reintroducirla en el espacio urbano. Este choque genera una discontinuidad en la frontera, un vacío verde que tiene la posibilidad de comprenderse como un intervalo entre distintas actividades. Existe, sin embargo, una idea de secuencia, de paisaje continuo, no totalmente natural, híbrido: una nueva ocupación espontánea del territorio. Surgen, así, tres tipologías adaptadas a un nuevo tipo de comunidad ecológica, que potencian la permeabilidad del espacio y mantienen una presencia urbana intensa.

FICHA TÉCNICA:
Autores: Renata Furlanetto, Mirela Fiori, Daniela Michelli, Carlos Sant'Ana.
Proyecto: 1998.
Superficie: 77 ha.
Emplazamiento: Iva de Bagnoli, Nápoles, Italia.

Renato Furlanetto, Mirela Fiori,
Daniela Michelli, Carlos Sant'Ana

In the thin line where the city rubs up against nature there appear huge entities of public use that serve as connections between the two green fronts and also define a limit, leaving potential residual areas of the city resolved. The nature densifying the city is preserved, favoring the sustainability of existing ecosystems.

A complex hybrid is produced in which limits are blurred and intermingled. A new operative topography is configured which allows the city to develop as far as its natural limits, occupying and dissolving spontaneously into the territory, constructing an infrastructure in the landscape. Density is not something negative for nature, but constitutes a reason for reintroducing it into urban space. This shock generates a state of discontinuity at the frontier, a green void that can be potentially understood as an interval between distinct activities. For all that, a notion of sequence exists, of an ongoing landscape, one that is not completely natural, but hybrid: a fresh, spontaneous occupation of the territory. Three typologies adapted to a new type of ecological community arise, therefore, typologies that strengthen the permeability of the space and maintain an intense urban presence.

TECHNICAL DATA:
Authors: Renata Furlanetto, Mirela Fiori, Daniela Michelli, Carlos Sant'Ana.
Project: 1998.
Surface area: 77 hectares.
Location: Iva de Bagnoli, Naples, Italy.

Renato Furlanetto, Mirela Fiori, Daniela Michelli, Carlos Sant'Ana

151

Ferropolis, Golpa Norte, Alemania

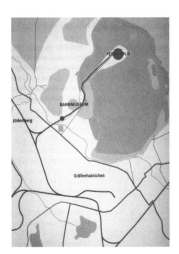

Ferropolis es un vasto territorio compuesto por unas mil toneladas de material de desecho, en su mayor parte hierro, que dan vida a un paisaje desolado, producido por las minas de carbón en desuso de Golpa Norte, en Alemania. La ciudad excavada emerge como símbolo de fascinación por la tecnología en conexión con sus últimos resultados. Este territorio es un retrato del abandono y la confrontación entre la utopía de la era moderna y su producto territorial: el paisaje industrial. Así mismo, refleja los diferentes entes que intervienen en esta confrontación. Ahora, Ferropolis, más que nada, dialoga con una nueva manera de entender la economía en equilibrio con la naturaleza.

La estrategia que se plantea para recomponer este territorio es preservar las infraestructuras de extracción abandonadas con el fin de crear un museo de caminos internos que hable del desarrollo de las nuevas tecnologías en la industria minera de carbón. Se trata entonces de un parque didáctico, una marca geográfica como monumento artístico, que sirve de asentamiento a nuevos usos y eventos de carácter público. La mayor atracción del complejo Ferropolis es la "arena", con las excavadoras en la parte sur de la península. Las máquinas gigantes y oxidadas, como dinosaurios de una era enterrada, forman un semicírculo deprimido que constituye un escenario ideal para conciertos y otros actos públicos.

El concepto general de paisajismo se basa en la idea de crear una fácil lectura del asentamiento de las excavadoras dentro del paisaje circundante y, al mismo tiempo, estabilizar la estructura del suelo artificial de la península por medio de vegetación. Con el objetivo de incorporar elementos relacionados con la historia de este lugar se propone la plantación de olmos y sauces, especies autóctonas de la zona, en una trama de cuarenta metros de ancho. También se propone un paseo arbolado como método de integración de la península con el paisaje circundante, que enmarca el acceso al complejo y absorbe las áreas de aparcamiento. Por medio de esta interacción entre intervención romántica y elementos industriales existentes, se pretende ilustrar el tema básico del proyecto Ferropolis: la dialéctica entre lo natural y lo artificial como dos vías de exploración en la recuperación de antiguos complejos industriales.

FICHA TÉCNICA:
Emplazamiento: Golpa Norte, Alemania.
Presupuesto: Construcción: 5.187.000 de marcos alemanes; costes de futuras inversiones:
10 millones de marcos alemanes.
Proyecto: 1997-1999.
Construcción: Verano 1999- verano 2000.
Equipo: Concepto global: Rainer Wasbach, Martin Brück (Bauhaus); proyecto de conjunto y proyecto básico del escenario: Studio Park (Jonathan Park); proyecto de ejecución del escenario y concepto básico de paisajismo (sin construir): Büro Kiefer; proyecto del edificio de acceso y la estación de Ferropolis (sin construir; fecha prevista: 2001): Ian Ritchie Architects con THP Architekten, Berlín; supervisión del proyecto, construcción, gestión económica y desarrollo de la segunda fase de construcción: Michael Lommertz.
Ingenieros: Edificio de acceso y vías: Enders & Reiss; estación y escenario: Consultinggesellschaft für Umwelt und Infrastruktur mbH; electrotecnia: Klaus Kümmel; instalaciones: Grit Kunert.

Gemini

Medusa

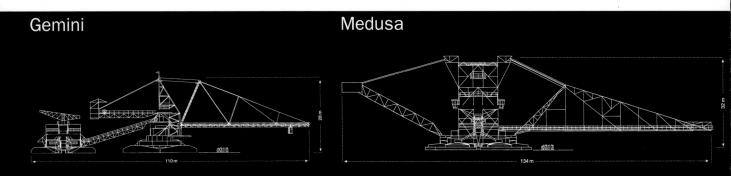

Ferropolis, North Golpa, Germany

Ferropolis is a vast territory made up of several thousand tons of scrap, mostly iron, which gives rise to a desolate landscape produced by the disused coal mines of North Golpa in Germany. The excavated settlement emerges as a symbol of the fascination for technology in relation to its final consequences. This territory provides a portrait of the dereliction and confrontation between the utopia of the modern era and its regional outcome: the industrial landscape. It thus reflects the different entities that intervene in this confrontation. Above all, Ferropolis dialogues today with a new way of understanding an economy in balance with nature.

The strategy put forward to reconstitute this territory is one of preserving the abandoned infrastructures of extraction, the aim being to create a museum of inner pathways that refers to the development of new technologies in the coal-mining industry. What is in the offing is a didactic park, then, a geographical landmark as an artistic monument that serves as a site for new uses and events of a public nature. The major attraction of the Ferropolis complex is the "arena" on the southern stretch of the peninsula, with its excavators. The gigantic, rusty machines, like dinosaurs from some long-lost era, form a sad semicircle that constitutes an ideal setting for concerts and other events.

The overall landscaping concept is based on the idea of making a straightforward reading of the colony of excavators within the surrounding landscape and, at the same time, of stabilizing the structure of the artificial ground of the peninsula by means of vegetation. With the aim of introducing elements related to the history of this location, the planting is proposed of elms and willows, varieties natural to the area, in a grid pattern forty meters wide. A tree-lined walkway is also proposed as a means of integrating the peninsula with the surrounding landscape, a walkway that frames the entrance to the complex and absorbs the parking areas. By means of this interaction between romantic intervention and extant industrial elements we aim to illustrate the basic theme of the Ferropolis project: the dialectic between the natural and the artificial as two ways of exploring the rehabilitation of former industrial complexes.

TECHNICAL DATA:
Location: North Golpa, Germany.
Budget: construction: 5.187.000 German Marks; future investment: 10M German Marks.
Project: 1997-1999.
Construction:Summer 1999-Summer 2000.
Team: overall concept: Rainer Wasbach, Martin Brück (Bauhaus); joint project and basic design of the general setting: Jonathan Park (Studio Park); design execution of the general setting and basic landscaping (unbuilt): Büro Kiefer; project for the Ferropolis entrance building and station (unbuilt; planned date: 2001): Ian Ritchie Architects with THP Architekten, Berlin; supervision of the project, construction, economic planning and development of the second phase of construction: Michael Lommertz.
Engineers: entrance building and roads: Enders & Reriss; station and setting: Consultinggesellschaft für Umwelt und Infrastruktur mbH; electrical engineering: Klaus Kümmel; installations: Grit Kunert.

Mosquito   Mad Max   Big Wheel

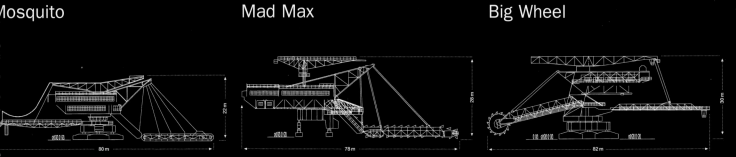

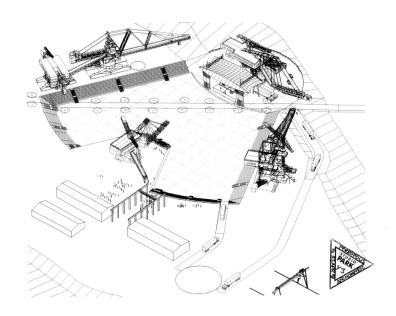

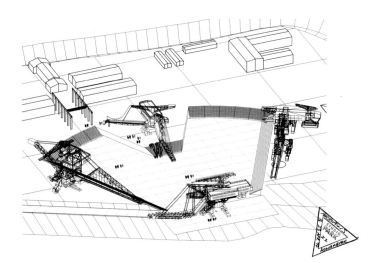

Recinto Arena, accesos y ubicación de la
maquinaria. Propuesta realizada por
Studio Park.
*Arena enclosure, approaches and siting of
the machinery. Scheme by Studio Park.*

Ordenación general de la propuesta.
General layout of the scheme.

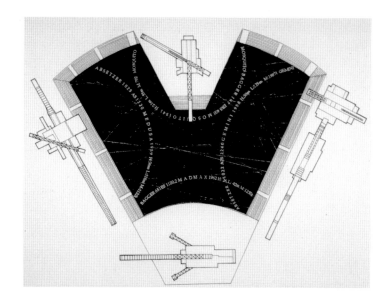

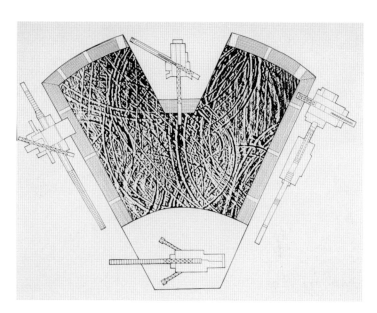

Propuesta de ordenación paisajística realizada por Büro Kiefer.
Landscaping scheme by Büro Kiefer.

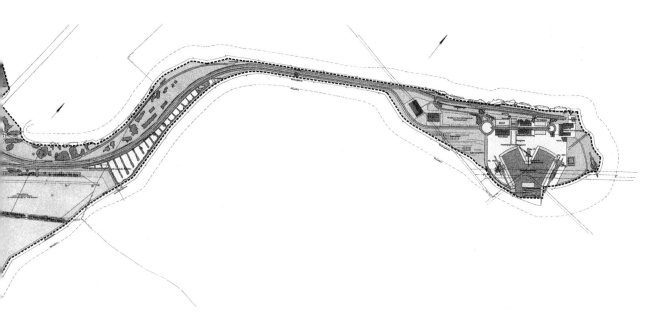

Ferropolis, North Golpa, Germany

Ferropolis/ciudad de las excavadoras de hierro en la antigua mina a cielo abierto. Vista hacia el futuro lago a inundar (junio del 2000).

Ferropolis/City of the iron diggers in the former open-cast mine. View towards the future lake (June 2000).

Ferropolis, con el cráter de la mina inundado (abril del 2000).

Ferropolis, with the mine crater flooded (April 2000).

Prueba de funcionamiento de la instalación de inundación de Golpa Norte (abril de 1999).

Testing of the North Golpa flooding apparatus (April 1999).

Construcción de la Arena (junio del 2000).
Building of the Arena (June 2000).

Ciudad de las excavadoras de Ferropolis
(junio del 2000).
City of the diggers in Ferropolis (June 2000).

Ferropolis, North Golpa, Germany

IBA Emscher Park, Cuenca del Ruhr, Alemania

varios autores

Río Emscher:

Con el proyecto del IBA Emscher Park se aborda la problemática situación de este río y se dispone que las aguas residuales ya no discurran por canalizaciones abiertas, sino por tuberías que corren paralelas al cauce del río, el curso de las aguas se transforma. Así, con el fin de recuperar su función ecológica. Así mismo, se reutiliza la mayor parte del agua proveniente de las precipitaciones, y se recogen en canales y estanques.

The River Emscher today
In the project for the IBA Emscher Park, the problematic situation of this river is tackled and it is arranged that sewage water no longer travels along open channels but through pipes running parallel to the river bed; the course of the water is transformed, the aim being to restore its ecological function. Likewise, the major part of the water originating as rainfall is reused by being collected in conduits and reservoirs.

La cuenca del Ruhr es el ejemplo de una región a la cual la industria le aportó un enorme desarrollo socioeconómico, para dejarla, al quedar obsoleta, con un gran déficit medioambiental y económico.

En 1989, el IBA Emscher Park se propuso la tarea de reconstruir, en un período de diez años, la situación caótica que resulta de un estado fragmentado que, además de arrastrar las cicatrices de la II Guerra Mundial, está desgarrado por planes urbanísticos poco afortunados y por un crecimiento descontrolado de la industria.

Después de la crisis de la industria pesada en los años sesenta, la situación social era increíblemente desmoralizante y, a pesar de la mejoría experimentada tras el IBA, perduró aún, una vez finalizado, con un índice de desempleo por encima de la media nacional.

En un período de diez años, noventa proyectos han coexistido en la cuenca del Ruhr para crear virtualmente una nueva realidad, más optimista, símbolo de un cambio urbano y económico que quiere garantizar el restablecimiento de la calidad en las ciudades y el paisaje; un balance entre economía y ecología.

El río Emscher solía ser un torrente natural que corría desde Dortmund hasta el Rin en Duisburg. El descubrimiento de carbón y oro en esta zona dio pie a un desarrollo explosivo. Mientras que en 1872, vivían allí menos de un millón de personas, la población creció con fuerza hasta llega a los 6,2 millones en 1955. A causa de la gran cantidad de residuos vertidos al río, epidemias como el tifus y el cólera asolaron la zona. A partir de 1904, el río fue canalizado y equipado con gran cantidad de diques, para prevenir la zona de posibles crecidas, a la vez que para asegurar un rápido drenaje.

El parque paisajístico del Emscher cubre un área de 300 km^2 y está formado por siete grandes parques regionales que han aglutinado las nuevas operaciones paisajísticas de recuperación de terreno contaminado y de creación de nuevos hitos naturales, y los proyectos de recuperación de industrias abandonadas y su transformación en parques, vinculados por varios circuitos para bicicletas.

Es el resultado de la búsqueda de una nueva calidad estética para un paisaje de carácter industrial, unida a instalaciones ecológicamente compatibles para el tiempo libre, el deporte y la cultura.

FICHA TÉCNICA:
Emplazamiento: Cuenca del Ruhr Norte, Alemania.
Promotor: Land Nordrhein-Westfalen.
Director del IBA Emscher Park GmbH: Karl Ganser.
Financiación: Unión Europea, Estado, Región y Ayuntamientos alemanes con inversiones privadas.
Superficie: 800 Km^2.
Población: 2.500.000 de habitantes.
Proyecto: 1988-1989.
Construcción: 2000.
Texto: Reiner Schlautmann

Planta depuradora Bottrop
La reclamación ecológica del sistema del río Emscher fue uno de los máximos objetivos del IBA. Nuevas plantas depuradoras se han construido con la más alta tecnología, como ésta en Bottrop.

Bottrop purifying plant
The ecological reclamation of the Emscher River system was one of the main objectives of the IBA. New purifying plants have been constructed using the latest technology, like this one in Bottrop.

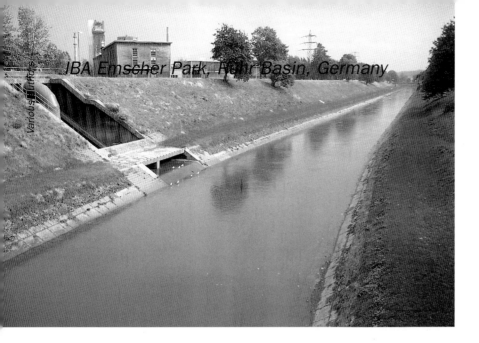

IBA Emscher Park, Ruhr Basin, Germany

The Ruhr Basin is a region where industry brought tremendous socio-economic development and then, when this became obsolete, left it with a huge environmental and economic deficit.

In 1989 the IBA Emscher Park set itself the not inconsiderable task of reconstructing, over a period of ten years, the chaotic situation resulting from a fragmentary condition that, as well as bearing the scars of World War II, is riven by more or less inapt urban planning and by the uncontrolled growth of industry.

Following the crisis of heavy industry in the 1960s, the social situation was incredibly depressing. Even today there is, in this area, the highest level of unemployment in western Germany: 15 percent, the national average being 9 percent. Over a period of ten years ninety projects have coexisted in the Ruhr area aimed at virtually creating a new, more optimistic state of affairs, symbol of an urban and economic change that seeks to guarantee the reestablishing of quality in both towns and landscape; a balance between economy and ecology.

The River Emscher was once a natural torrent running from Dortmund to the Rhine at Duisberg. The discovery of coal and gold in this area led to explosive development. While in 1872 less than a million people were living here, the population grew steadily, reaching 6.2 million in 1955. Due to the huge amount of refuse dumped in the river, epidemics like typhus and cholera laid waste to the area.

In 1904 the river was canalized and equipped with a great number of dikes to preserve the zone from possible flooding and at the same time to guarantee rapid drainage.

The Emscher Scenic Park covers an area of 300 km2 and is made up of seven large regional parks which have subsumed the new landscaping interventions for rehabilitating contaminated land and for creating new natural landmarks, as well as schemes for recouping abandoned industrial sites and transforming them into parks linked by different cycle tracks.

The Emscher scheme is the result of a search for a new aesthetic quality for an industrial-type landscape, linked to ecologically compatible amenities for leisure activities, sport and culture.

TECHNICAL DATA:
Location: North Ruhr Basin, Germany.
Promotor: Land Nordrhein-Westfalen.
Director of IBA Emscher Park GmbH: Karl Ganser.
Financing: the EEC, German State, Regional and Local Authorities, plus private investment.
Surface area: 800 km^2.
Population: 2,500,000 inhabitants.
Project: 1988-1989.
Construction: 2000.
Text: Reiner Schlautmann

Parque paisajístico de Duisburg

El parque de Duisburg es un buen ejemplo del proyecto del IBA Emscher Park. El lugar donde se emplazan estas viejas fábricas de acero fue una vez conocido como "la ciudad prohibida", con acceso exclusivo para los obreros. Ahora, mientras la naturaleza se recupera creciendo espontáneamente, el lugar es visitado por el público en general, que puede asistir a proyecciones de cine al aire libre en los antiguos altos hornos, o aprender submarinismo en el interior de un viejo gasómetro.

Duisburg Scenic Park

Duisburg Park is a good example of the IBA Emscher Park project. The site where these old steel factories are located was once known as "the forbidden city", with access exclusively for the workers there. Today, while nature is recovering and growing spontaneously, the site is visited by the general public, who can attend open-air film showings in the former blast furnaces, or learn to scuba-dive inside an old gasometer.

Parque paisajístico de Duisburg

Richard Serra escultura
en Schurenbach-Halde

En el área del Emscher, la ausencia de naturaleza era evidente; cada metro cuadrado había sido removido, al menos una vez, durante los pasados 150 años y gran parte de las tierras estaban contaminadas. Richard Serra diseñó la forma del vertedero de piedra de Schurenbach e implantó en éste su escultura, que competía con los viejos hitos paisajísticos –hornos, chimeneas y gasómetros–, creando un sentido de orientación en el quebrado desorden del paisaje.

Richard Serra sculpture
in Schurenbach-Halde

The absence of nature in the Emscher area was obvious; every square meter had been dug up at least once during the last 150 years and much of the land was contaminated. Richard Serra designed the form of the Schurenbach stone dump and set up a sculpture of his there that competed with the old scenic landmarks –furnaces, chimneys and gasometers–, thus creating a feeling of orientation in the uneven disorder of the landscape.

Richard Serra

Gasómetro de Oberhausen

Otro ejemplo de la conservación de los monumentos industriales como testimonios de la conciencia colectiva histórica es la transformación en museo del antiguo gasómetro de Oberhausen. Esta sorprendente joya de la ingeniería industrial (de 65 m de diámetro y 100 m de altura) se ha convertido en emblema de la región y en una gran atracción cultural por el éxito de las exposiciones que en él se han realizado.

Gasometer in Oberhausen

Another example of the preservation of industrial monuments as evidence of an historical collective consciousness is the conversion of the former Oberhausen gasometer into a museum. This surprising jewel of industrial engineering (65 meters in diameter and 100 meters high) has been converted into an emblem of the region and into a huge cultural attraction due to the success of the exhibitions put on inside it.

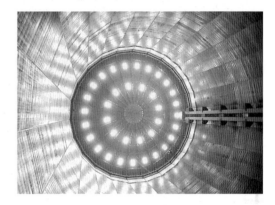

Zollverein XII

La antigua minería Zollverein XII, Essen, ha sido transformada en centro para el arte, la cultura y el diseño. Una enorme planta fotovoltaica se ha situado en la cubierta de este magnífico edificio, simbolizando el nuevo uso de este transformador de energía.

Zollverein XII

The former Zollverein XII mining complex in Essen has been transformed into a center for art, culture and design. An enormous photovoltaic plant has been set up on the roof of this magnificent building, symbolizing the new use of this energy converter.

Estas industrias revisitadas son las protagonistas de un nuevo enfoque paisajístico en la creación de nuevos parques. En su preciosa, misteriosa y estática presencia, las antiguas correas de las minas, los altos hornos y los gasómetros son hoy visitables en un momento de celebración de la tecnología industrial, mientras su entorno se purifica aún de su corrosiva coexistencia a lo largo de casi un siglo.

These revamped industries are the protagonists of an innovatory approach to the landscaping of new parks —pristine woodland, almost—, in which nature takes possession of the structures imposed by man, structures that are today erected as cathedrals for a new postindustrial era and as a symbol of the past and the consciousness of a whole population. In their precious, mysterious and static presence, the old conveyor belts of the mines, the blast furnaces and gasometers are viewable today in a moment of celebration of industrial technology, while their surroundings are purified of their corrosive coexistence over almost a century.

Rehabilitación de un tanque de CEPSA, Santa Cruz de Tenerife, España

Los elementos industriales de la refinería CEPSA han estado ligados a la forma urbana de Santa Cruz de Tenerife a lo largo del último siglo, en especial a las áreas colindantes con estas zonas, como el barrio de Cabo Llanos. Sin embargo, muchas de estas estructuras han tenido que ser desmanteladas, tras un proceso de modernización de la empresa, dejando espacios vacíos en la trama urbana o, en casos como éste, grandes estructuras reutilizables para otras actividades. Las posibilidades físicas y funcionales de estos grandes objetos han hecho posible la incorporación de uno de ellos a la ciudad, como hito de espacio cultural y sala de exposiciones.

El proyecto de reutilización se ha basado en conservar y resaltar el propio carácter, austero y único, del depósito. Con ello se pretende mostrar la ejemplaridad de una pieza singular de carácter industrial, que adquiere un protagonismo único al verse aislada del resto de superestructuras que la acompañaban. La intervención se reduce entonces a resolver de una forma elemental el tema de la accesibilidad y el recorrido de un modo sutil, como si se tratase de una obra efímera.

La entrada a este nuevo pabellón y el *hall* de acceso se producen a partir de un volumen semienterrado de hormigón armado que aprovecha los muros existentes de división de las parcelas industriales y los de la cimentación del propio tanque. De este modo, el objeto sigue manteniendo su carácter unitario y emblemático desde el exterior. El pavimento de la calle se va deprimiendo en una suave rampa que conduce a la base del tanque, donde encontramos un núcleo de servicios e información. En contraste con este primer espacio atrincherado, anguloso y de algún modo torturado, el interior se presenta como un espacio diáfano y limpio, compuesto por los pilares de estructura metálica y el revestimiento del mismo material. Las dimensiones de esta pieza permiten desarrollar diferentes actividades, ofreciendo a la ciudad un insólito espacio multifuncional para la actividad cultural. La piel que envuelve el objeto se convierte en una gran pantalla a escala de la ciudad, telón de fondo y referente de un paisaje que la ciudad intenta reconquistar.

FICHA TÉCNICA:
Emplazamiento: Cabo Llanos, Santa Cruz de Tenerife, Islas Canarias, España.
Autores: AMP arquitectos (Artengo-Menis-Pastrana).
Colaboradores: Adán Ramos Noda, Marina Romero.
Consultores: Rafael Hernández Hernández, Andrés J. Pedreño Vega.
Contratista: Dragados.
Construcción: Junio 1997-septiembre 1997.
Fotografías: Jordi Bernadó, Hisao Suzuki.

Rehabilitation of a CEPSA Storage Tank, Santa Cruz de Tenerife, Spain

The industrial installations of the CEPSA refinery have been linked to the urban form of Santa Cruz de Tenerife throughout the last century, especially in the areas bordering them such as the Cabo Llanos quarter. Nevertheless, many of these structures have had to be dismantled, following modernization of the company, leaving empty spaces in the urban fabric or, as in cases like this one, huge structures that are reusable for other activities. The physical and functional potential of these vast objects has led to the incorporation of one of them as a landmark cultural space and exhibition hall in the city.

The reutilization scheme has been founded on preserving and emphasizing the very character, at once austere and unique, of the tank. In this way, it is hoped to demonstrate the exemplary nature of an outstanding industrial artifact, which acquires a unique importance in being isolated from the rest of the superstructures that used to accompany it. The intervention is therefore restricted to resolving, in a simple form, the issue of accessibility and subtle routing, as if this were an ephemeral work.

The entrance and foyer of this new pavilion evolve out of a semi-buried volume of reinforced concrete that makes use of the existing dividing walls of the industrial plots and those of the foundations of the tank itself. In this way, the object maintains its unitary and emblematic character from the outside. The paving of the street gradually flattens out in a gentle ramp leading to the base of the tank, where we find a nucleus of service and information. In contrast to this first trench-like space, which is angular and somewhat twisting, the interior is presented as a diaphanous and clean space consisting of metal pillars and a facing of the same material. The large size of this building permits different activities to be undertaken, offering the city an unusual multifunctional space for cultural events. The skin encasing the object is converted into a huge screen on a city scale, the backdrop and referent of a landscape the city attempts to reconquer.

TECHNICAL DATA:
Authors: AMP Architects (Artengo-Menis-Pastrana).
Collaborators: Adán Ramos Noda, Marina Romero.
Consultants: Rafael Hernández Hernández, Andrés J. Pedreño Vega.
Contractor: Dragados.
Location: Cabo Llanos, Santa Cruz de Tenerife, Canary Islands, Spain.
Construction: June-September 1997.
Photos: Jordi Bernadó, Hisao Suzuki.

Detalle del acceso. Entrada al tanque aprovechando los muros existentes de división de las parcelas industriales y los de la cimentación del propio tanque.
Detail of the approach to the area. Entrance to the tank, using the existing walls delimiting the industrial areas and those of the foundations of the tank itself.

Planta de acceso.
Entrance level.

Emplazamiento. División parcelaria de los distintos tanques.
Location. Land division of the different tanks.

Vista de la llegada al recinto.
View of the arrival to the area.

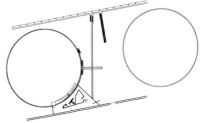

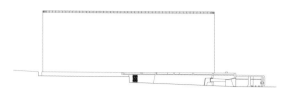

Sección longitudinal y transversal del volumen de acceso.
Longitudinal and cross-section of the entrance volume.

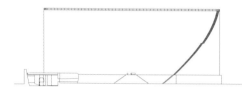

Vestíbulo de acceso hacia el exterior.
Entrance lobby, looking out.

La piel que envuelve al objeto se convierte en una gran pantalla a escala de la ciudad.
The skin sheathing the object becomes a huge screen at a city scale.

Rehabilitation of a CEPSA Storage Tank, Santa Cruz de Tenerife, Spain

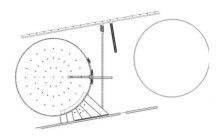

Planta estructural del gasómetro y volumen de acceso.
Structural plan of the gasometer and entrance volume.

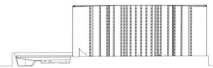

Sección por el interior del gasómetro.
Section through the interior of the gasometer.

Página siguiente
Vista del interior del gasómetro.
Next page
View of the gasometer interior.

Zona de acceso a los servicios y a la rampa de entrada al gasómetro, que sigue la traza del muro de contención del mismo.
Area of access to the bathroom facilities and to the entrance ramp to the gasometer, which follows the line of the latter's load-bearing wall.

Rehabilitación de los gasómetros de Viena, Austria

Los cuatro gasómetros construidos entre 1896 y 1899 para el suministro de gas de Viena, con el estilo propio de la arquitectura industrial del siglo XIX, han sido desde siempre un lugar visible en el distrito y están ahora a punto de convertirse en el punto de cristalización del desarrollo urbano de la zona.

Tras el cierre de estos gasómetros, los elementos del equipamiento interior se desmantelaron conservándose las fachadas clásicas. La localización particular de estos gasómetros, dentro de un marco industrial y el carácter inusual de los espacios resultantes provocaron que se utilizasen frecuentemente para diversas actividades culturales.

El emplazamiento del proyecto representa una oportunidad muy especial para desarrollar el tejido urbano de Viena mediante diversas modificaciones del sistema de transportes, como el caso de la extensión de la línea U3 del metro y la construcción de la autopista Norte-Este.

Cuatro equipos de arquitectos, Coop Himmelb(l)au, Jean Nouvel, Manfred Wehdorn y Wilhem Holzbauer, están trabajando en la creación de nuevas opciones de ocupación a desarrollar en los gasómetros.

La mezcla funcional de viviendas, oficinas, departamentos municipales y áreas comerciales y de ocio los convierten en una ciudad dentro de la ciudad. Las exigencias de diferentes tipos de usuario, así como la importancia del conjunto como monumento histórico, han constituido un gran desafío.

FICHA TÉCNICA DEL PROYECTO GENERAL:
Autores: Bdg-Mc Coll Architects, Martin Kiekenap, Manfred Wehdorn, Rüdiger Lainer.
Emplazamiento: Simmering, Distrito IX, Viena, Austria.
Promotor: Oficina de Negocios de Viena.
Constructora: Gesiba, Gpa, Seg Viena.
Proyecto: 1995-1998.
Construcción: 1998-2000.

Rehabilitation of Gasometers in Vienna, Austria

The four gasometers built between 1896 and 1899 for the supplying of gas to Vienna, in the style typical of 19th-century industrial architecture, have always been a visual reference in the district and are now about to be converted into the crystallizing point for the urban development of the area.

Following the closure of these gasometers, the equipment inside them was dismantled, the classic facades being preserved. The particular siting of these gasometers in an industrial setting and the unusual nature of the resulting spaces caused them to be used regularly for different cultural activities.

The project site provides a special opportunity for developing the urban fabric of Vienna by means of various modifications to the transport system, such as extending the U3 metro line and building the North-East freeway.

Four sets of architects –Coop Himmelb(l)au, Jean Nouvel, Manfred Wehdorn and Wilhelm Holzbauer– are working on the creation of new occupancy options to be developed in the gasometers.

The functional mix of apartments, offices, municipal offices and commercial and recreational area converts them into a city within the city. The requirements of different types of user, plus the importance of the complex as a historical monument, have presented an enormous challenge.

TECHNICAL DATA OF THE OVERALL PROJECT:
Authors: BDG/McColl Architects, Martin Kiekenap, Manfred Wehdorn, Rüdiger Lainer.
Location: Simmering, District IX, Vienna, Austria.
Promotor: Vienna Office for Trade.
Builder: Gesiba, Gpa, Seg Vienna.
Project: 1995-1998.
Construction: 1998-2000.

Propuesta para un complejo pluri-
funcional en donde cada gasómetro contiene usos mixtos y diferenciados y, a su vez, conectados
entre sí.

*Scheme for a multifunctional
complex in which each gasometer
has interconnecting mixed and differentiated uses.*

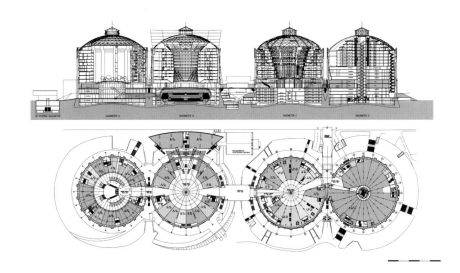

Vista aérea de los gasómetros y
su entorno a finales del siglo XIX.

*Aerial view of the gasometers
and their surroundings at the end
of the 19th century.*

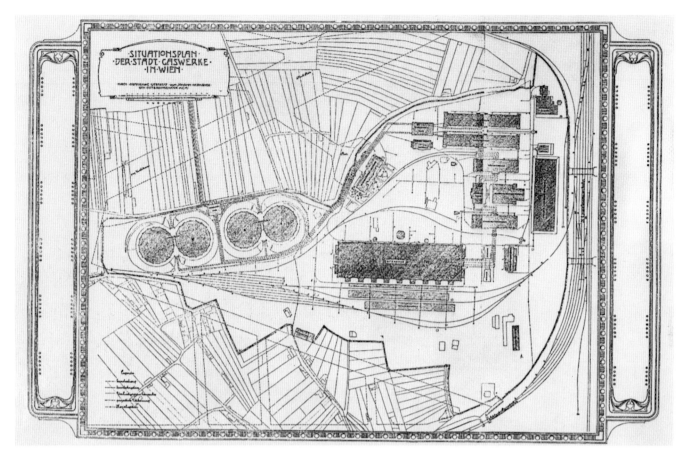

Plano de situación. Proyecto del ingeniero Herrmann 1893-1896.
Site plan. Project by the engineer Herrmann, 1893-1896.

Cimentación de los gasómetros.
Foundations of the gasometers.

Estructura de la cubierta de los gasómetros.
Structure of the roof of the gasometers.

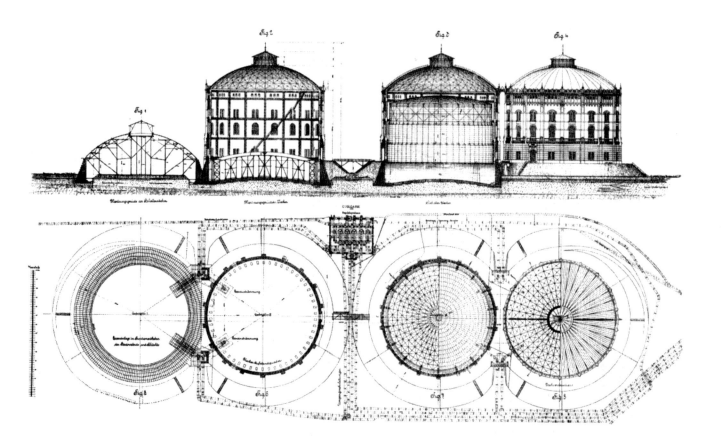

Planta y sección de los gasómetros.
Plan and section of the gasometers.

Trabajos de canalización, otoño 1898.
Pipe-laying works, Autumn 1898.

Construcción de los hornos.
Construction of the furnaces.

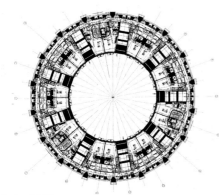

Planta +22,90 m
Plan +22.90 m

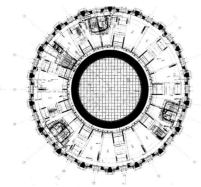

Planta +16,20 m
Plan + 16.20 m

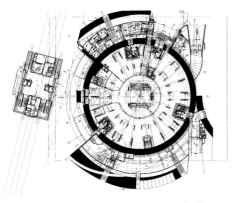

Planta –5,30 m. Conexión con la nueva estación de metro.
Plan –5.30 m. Connection to the new metro station.

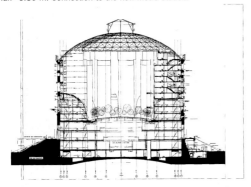

Sección transversal.
Cross-section.

Rehabilitación del gasómetro A
Jean Nouvel

El proyecto de Jean Nouvel busca el diálogo con la preexistencia, apuntando a la diversificación de la nueva estructura muraria.

Ésta está constituida por elementos prefabricados de acero y hormigón que se caracterizan por su ligereza estructural, limitando el impacto respecto a la original.

El volumen cilíndrico del proyecto se divide en 18 porciones idénticas, separadas las unas de las otras para garantizar la iluminación y la circulación del aire. La tipología de dúplex permite acceder a las viviendas a través de los corredores circulares, alternados cada dos plantas, y garantiza doble fachada a cada vivienda.

Ficha técnica:
Autor: Jean Nouvel.
Emplazamiento: Döblerhofstrasse, Viena, Austria.
Colaboradores: G. Neuhaus, I. Menon, C. Brammen, P. Landes, B. Weinstein, J. Haase, E. Kather, S. Priesner.
Ingeniería: Estructura: Fritsch & Chiari; fontanería: ÖKO-Systems; iluminación: Kress & Adams.
Consultores: Bauphysic, consultores de transporte y protección ambiental.
Constructora: Gesiba, Viena.
Proyecto: Septiembre 1995.
Construcción: Septiembre 1997-2001.
Superficie: 8.100 m^2 de unidades de vivienda; 5.100 m^2 de oficinas; 7.000 m^2 de centro comercial; superficie bruta: 28.550 m^2
Presupuesto: 490 millones de chelines austriacos.
Cliente: Stadterneurungs-und Eigentumswohnungs GmbH-SEG.
Maqueta: E. Follenfant.
Perspectiva: D. Chislain.
Fotografías de la maqueta: O. Boissière.

Rehabilitation of Gasometer A
Jean Nouvel

Jean Nouvel's project seeks a dialogue with what already exists, focusing on the diversification of the new walled structure. The latter consists of prefabricated iron and concrete elements that are noteworthy for their structural lightness, thus limiting their impact vis-à-vis the original.

The cylindrical volume of the project is divided into 18 identical portions, separated from one another so as to guarantee illumination and the free circulation of air. The duplex typology permits access to the apartments via circular corridors that alternate every two floors, and guarantees a double facade for each dwelling.

Thechnical data:
Author: Jean Nouvel.
Collaborators: G. Neuhaus, I. Menon, C. Brammen, P. Landes, B. Weinstein, J. Haase, E. Kather, S. Priesner.
Location: Döblerhofstrasse, Vienna, Austria.
Engineering: structure: Fritsch & Chiari; plumbing: ÖKO-Systems; lighting: Kress & Adams.
Consultants: Bauphysic, transport and environmental consultants.
Builder: Gesiba, Seg Vienna.
Project: September 1995.
Construction: September 1997-2001.
Surface area: 8,100 m^2 of housing units; 5,100 m^2 of offices; 7,000 m^2 of shopping mall: gross surface: 28,550 m^2.
Budget: 490M Austrian schillings.
Client: Stadterneurungs-und Eigentumswohnungs GmbH-SEG.
Model: E. Follenfant.
Model photos: O. Boissière.
Perspective drawings: D. Chislain.

Rehabilitación del gasómetro B
Coop Himmelb(l)au

El concepto de Coop Himmelb(l)au para el gasómetro B añade tres nuevos volúmenes a la fachada existente: el cilindro colocado en el interior del gasómetro, el escudo como adición sorprendente y visible desde el exterior, y el salón de actos multifuncional situado en la planta de acceso al gasómetro.

Los apartamentos y oficinas están situados dentro del cilindro y el escudo. La iluminación del interior del cilindro se obtiene del patio cónico interior, y la del exterior a través de la fachada histórica del gasómetro. La iluminación del escudo se obtiene a través de una amplia fachada de vidrio, con galerías, orientada al norte.

Los 360 apartamentos ofrecen diferentes modos de vivienda, desde los amplios apartamentos de tres habitaciones y lofts, hasta los apartamentos para estudiantes. Al combinar el uso para viviendas y oficinas, se espera que aparezcan nuevas formas de combinación de trabajo y vida.

Se puede acceder al gasómetro —de modo separado para habitantes y visitantes— tanto desde el exterior, a través de la Guglgasse, como directamente desde la estación de metro, a través del centro comercial que conecta, en el nivel de acceso, a todos los gasómetros. Dentro del gasómetro B se ha creado una especie de "amortiguador" entre el salón de actos y el ala destinada a apartamentos y oficinas, con lo que se intensifica la comunicación interior. El *hall* descubierto de la sexta planta crea un espacio de "social" para los habitantes, mientras que otros espacios residuales pueden ser utilizados como zonas comunes.

El vestíbulo del salón de actos está comunicado tanto con el Gasómetro, a través del centro comercial nocturno, como directamente a través del acceso desde la Guglgasse. El centro comercial nocturno sirve como conexión con el metro y alberga espacios comunes, convirtiéndose de ese modo en un área de tránsito para la gente que entra y sale del salón de actos.

Ficha técnica:
Autores: Coop Himmelb(l)au: Wolf D. Prix, Helmut Swiczinsky.
Colaboradores: Sepp Weichenberger, arquitecto encargado del proyecto; Rainer Enk, Stefan Fussenegger, Friedrich Hähle, Stefan Hochstrasser, Roland Kesmann, Georg Kohlmayr, Martin Mostböck, Markus Pillhofer, Karolin Schmidbaur.
Maqueta: Walid Kanj, Napoleon Merana, Giulio Polita.
Cliente: GPA y WPV, Viena.
Estructura: Fritsch & Chiari, Viena.
Ingeniería mecánica y eléctrica: Ing. Pacher.
Consultor de iluminación: Kress & Adams.
Consultor del centro comercial: BDG/Mc Coll.
Presupuesto: 650 millones de chelines austriacos.
Superficie: Terreno: 19.173 m^2; superficie construida: 35.000 m^2; superficie ocupada: 5.200 m^2.
Proyecto: 1995-1998.
Construcción: 1998-2001.
Fotografías: Gerarld Zugmann.

Rehabilitation of Gasometer B
Coop Himmelb(l)au

Coop Himmelb(l)au's scheme for gasometer B adds three new volumes to the existing frontage: the cylinder located on the inside of the gasometer; the shield as a surprising addition visible from outside; and the multifunctional main hall located on the entrance floor to the gasometer.

The apartments and offices are situated within the cylinder and shield. Illumination of the interior of the cylinder is assured via the conical interior patio, and that of the exterior via the old facade of the gasometer.

The 360 apartments provide different forms of housing, from the ample three-bedroom apartments and lofts to those for students. In amalgamating usage for dwellings and offices, it is hoped that new ways of combining work and private life emerge.

One can accede to the gasometer –inhabitants and visitors each in their own way– from the outside, through the Guglgasse, as well as from the metro station, via the shopping mall connecting all the gasometers at the entrance level. A kind of "shock absorber" has been created inside gasometer B between the main hall and the wing intended for apartments and offices, with which interior communication is intensified. The roofless hall on the sixth floor provides a socializing space for the inhabitants, while other residual spaces can be used as communal areas.

The foyer of the main hall is connected with the gasometer via the nocturnal shopping mall, as well as directly via the entrance from the Guglgasse. The nocturnal shopping mall serves as a connection with the metro and houses communal spaces, thus becoming a transit area for people entering and leaving the main hall.

Thechnical data:
Authors: Coop Himmelb(l)au: Wolf D. Prix, Helmut Swiczinsky.
Collaborators: Sepp Weichenberger, architect in charge of the project; Rainer Enk, Stefan Fussenegger, Friedrich Hähle, Stefan Hochstrasser, Roland Kesmann, Georg Kohlmayr, Martin Mostböck, Markus Pillhofer, Karolin Schmidbauer.
Model: Walid Kanj, Napoleon Merana, Giulio Polita.
Client: GPA and WPV, Vienna.
Structure: Fritsch & Chiari, Vienna.
Mechanical and electrical engineering: Ing. Pacher.
Lighting consultant: Kress & Adams.
Shopping mall consultant: BDG/McColl.
Budget: 650M Austrian schillings.
Surface area: site: 19,173 m^2; built surface area: 35,000 m^2; occupied surface area: 5,200 m^2.
Project: 1995-1998.
Construction: 1998-2000.
Photos: Gerarld Zugmann.

Maqueta del cuerpo añadido a modo de escudo y vista de la construcción del cilindro interior.

Model of the shield-like added body and view of the construction of the interior cylinder.

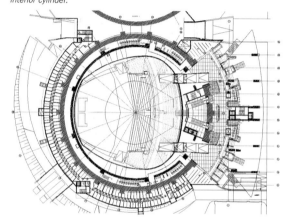

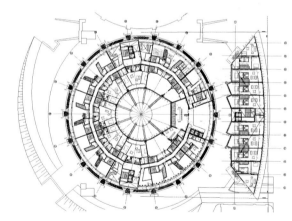

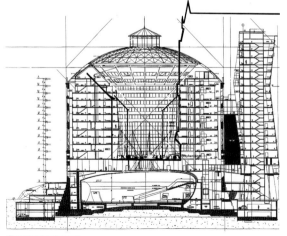

Sección transversal.
Cross-section.

Coop Himmelb(l)au

179

Rehabilitación del gasómetro C
Manfred Wehdorn

El proyecto se propone mantener básicamente la apariencia histórica, consiguiendo establecer un diálogo entre la piel histórica del exterior y la nueva vida interior del antiguo edificio del gasómetro. Además, al concepto global se atribuye un fuerte contenido ecológico; árboles y plantas en la áreas de acceso público convierten el interior del gasómetro en un "Arboretum" (invernadero) inundado de luz y aire mediante la apertura de la antigua cúpula. Como "edificio dentro de un edificio", protegido por la nueva cubierta de vidrio, la nueva construcción se alza con sus tres plantas de oficinas y sus seis plantas de viviendas. Estas últimas forman un anillo alrededor del muro exterior del edificio histórico del gasómetro, y se estrechan a medida que se asciende formando terrazas en el antiguo gasómetro. Además, la nueva construcción está fragmentada verticalmente en seis segmentos; en los huecos entre las torres se ubican cuatro escaleras y dos zona abiertas, que facilitan la visión de la estructura histórica del edificio y actúan como vanos que proporcionan luz adicional al nuevo patio de la zona residencial. Los dos pisos superiores están ocupados por viviendas más amplias, con terrazas privadas que no pueden verse desde el exterior.

Ficha técnica:
Autor: Manfred Wehdorn.
Emplazamiento: Viena, Austria.
Colaboradores: M. Kiekenap, M. Phillip, D. Gulder, J. Dika, A. Grüll, M. Erdepresser.
Consultores: Fitsch, Chiari & Partner, Viena; Öko-Systems, Viena, Pfeiler, Graz (consultoría térmica); Kress & Adams, Colonia (iluminación); Instituto Marítimo Danés (pruebas de viento).
Constructora: Gesiba, Seg Viena.
Proyecto: 1998-2000.

Rehabilitation of Gasometer C
Manfred Wehdorn

The project opts for basically retaining the historical appearance of the gasometer, while establishing a dialogue between the old exterior skin and the new interior life of the former building. On top of that, a strong ecological content is accorded to the overall conception: trees and plants in the public access areas convert the interior of the gasometer into an "Arboretum" inundated with light and air through the opening up of the old dome.
As "a building within a building", and protected by the new glass roof, the new building has three floors of offices and six of apartments. The latter form a ring around the exterior wall of the old building and get smaller the higher up they go, forming terraces on the ex-gasometer. Furthermore, the new construction is broken down vertically into six segments. In the spaces between the towers there are four stairways and two open areas which afford a view of the old structure of the building and act as apertures providing extra light for the new patio of the residential area. The two upper floors are occupied by more spacious apartments with private terraces that cannot be seen from the outside.

Thechnical data:
Author: Manfred Wehdorn.
Collaborators: M. Kierkenap, M. Phillip, D. Gulder, J. Dika, A. Grüll, M. Erdepresser.
Location: Vienna, Austria.
Consultants: Fitsch, Chiari & Partner, Vienna; ÖKO-Systems, Vienna; Pfeiler, Graz (heating consultants); Kress & Adams, Cologne (lighting); Danish Maritime Institute (wind testing).
Builder: Gesiba, Seg Vienna.
Project: 1998-2000.

La sustitución de la antigua cúpula por una nueva cubierta permite la implantación de un invernadero en el interior del gasómetro.

The substitution of the old dome by a new roof allows a greenhouse to be introduced inside the gasometer.

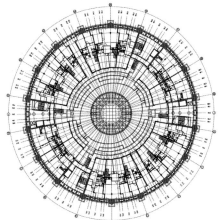

Planta tipo.
Basic floor plan.

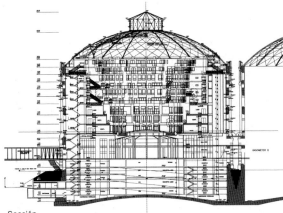

Sección.
Section.

Rehabilitación del gasómetro D
Wilhem Holzbauer

El proyecto de rehabilitación del gasómetro D y su uso como refugio protector en un edificio de viviendas se deriva de la idea de preservar el muro interior del edificio histórico para posibilitar a los ocupantes la percepción de los antiguos espacios y de su tamaño.

Un trazado en estrella, semejante a la estrella de Mercedes, irradia desde un núcleo central, alinea los apartamentos con tres patios formados, por un lado, por el nuevo edificio y, por otro, por el muro del edificio histórico.

En los tres patios crecen árboles y plantas trepadoras junto al muro del antiguo edificio. Grandes vanos sin vidrio, pertenecientes en parte al edificio histórico y en parte recortados en el grueso muro, se abren a la zona industrial contigua, enmarcando el paisaje, y aumentando su atractivo al permitir únicamente vistas fragmentadas.

Es un edificio transparente que ofrece vistas únicas a través de los muros del edificio histórico, y que muestra el nuevo edificio interior.

Ficha técnica:
Autor: Wilhem Holzbauer.
Emplazamiento: Viena, Austria.
Colaboradores: G. Kempinger, K. Köberl.
Consultores: Lt. Statikprojekt (estructura).
Proyecto: 1998-2000.
Superficie: 8.380 m^2 (141 unidades de vivienda); 6048 m^2 de servicios; 4740 m^2 de aparcamiento; 9861 m^2 de archivo de la ciudad.

Rehabilitation of Gasometer D
Wilhelm Holzbauer

The scheme for rehabilitating gasometer D and its use as a shelter protecting an apartment building is derived from the idea of preserving the interior wall of the old building and of affording the occupiers a perception of the former spaces and their size.

A star shape, similar to the Star of Mercedes, irradiates from a central core and aligns the apartments with three courtyards formed, on the one hand, by the new building and, on the other, by the wall of the old one. In these three courtyards, trees and climbing plants grow beside the wall of the old building. Wide, unglazed spaces, pertaining in part to the old building and in part cut out of the thick wall, open onto the neighboring industrial area, framing the landscape and increasing its attractiveness by permitting only fragmentary views of it. This is a transparent building that offers unique views through the walls of the old building and displays the new building within.

Thechnical data:
Author: Wilhelm Holzbauer.
Collaborators: G. Kempinger, K. Köberl.
Location: Vienna, Austria.
Consultants: Lt. Statikprojekt (structure).
Surface area: 8,380 m^2 (141 housing units); 6,048 m^2 of services; 4,740 m^2 of parking; 9,861 m^2 of city archive.
Project: 1998-2000.

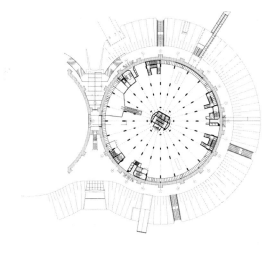

Planta del vestíbulo.
Plan of the entrance hall.

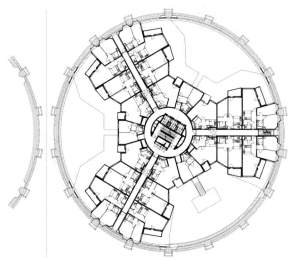

Planta viviendas tipo.
Basic shop floor plan.

Vistas del nuevo edificio y del muro histórico.
Views of the new building and the original wall.

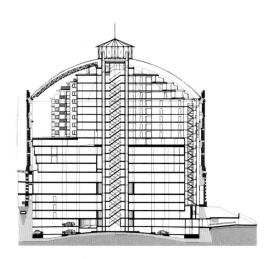

Sección.
Section.

Agradecimientos

Muchas personas han colaborado en dar forma al Después de. Queremos dar las a gracias a todo el equipo de la Editorial Gustavo, a Alejandro Bahamón por la comprensión y síntesis que ha elaborado minuciosamente, a Itziar González por darnos la clave de este libro también suyo, a Miguel por acompañarnos tan pacientemente, a Rainer Schlautmann que a pesar de todos sus compromisos nos ha animado otra vez a comprender la complejidad de un gran proyecto, a Luis Asín por dar vida a nuestro deseo de despertar a la bestia acorazada, a Jordi Bernadó por haber vivido con nosotros la aventura del mundo subterráneo, a John Lonsdale por su perseverancia, a John Glew por su aportación espontánea, a Marion Taube por responder a todas nuestras preguntas, a Sophie Ristelhueber por acceder a compartir con nosotros su mágica visión del mundo, a Philip Sattler por no rendirse ante ningún contratiempo informático, a Francesca Venier por la meticulosidad de su trabajo, a Manfred Wehdorn y Wilhem Holzbauer en quien hemos podido confiar a pesar de las prisas, a Mr. Laisi por soñar en lo imposible, a Elmar Kaiser por compartir nuestra ilusión y creer en su trabajo, a Studio Park por querer colaborar a pesar de su apretada agenda, a Philip Christou por su eficacia, a Fermina por su pulcritud, a Jorge Miguel Perea por ser el mediador impasible en nuestra no menospreciable exigencia, a Petra Trefalt por su sentido del humor. A todos ellos y a algunos más debemos reconocer el mérito de que este libro se encuentre hoy en tus manos.

Acknowledgments

Many people have helped to make Afterwards what it is. We wish to thank to all the staff at Editorial Gustavo Gili, Alejandro Bahamón for the comprehensive work of synthesis he has painstakingly performed; Itziar González for giving us the key to this book (which is hers, too); Miguel for going along with us so patiently; Rainer Schlautmann who, despite all his commitments, has encouraged us once more to grasp the complexity of a wonderful project; Luis Asín for giving life to our desire to awaken the ironclad beast; Jordi Bernadó for having lived the adventure of the subterranean world with us; John Lonsdale for his perseverance; John Glew for his spontaneous input; Marion Taube for responding to all our questions; Sophie Ristelhueber for agreeing to share her magical vision of the world with us; Philip Sattler for not giving up before any computer contretemps; Francesca Venier for the meticulousness of her work; Manfred Wehdorn and Wilhelm Holzbauer, in whom we've been able to trust despite all the hurry; Mr. Laisi for dreaming the impossible; Elmar Kaiser for sharing our excitement and believing in his work; Studio Park for wanting to collaborate despite their heavy agenda; Philip Christou for his efficiency; Fermina for its flair; Jorge Miguel Perea for being the impassive mediator when faced with our not inconsiderable demands; Petra Trefalt for her sense of humor. We owe the fact that this book is today in your hands to all these people, and to others, too.

Créditos fotográficos *Photo credits*